柳宗元文

图书在版编目（CIP）数据

柳宗元文 / 余彦君注译 .
—武汉 ：崇文书局，2017.1
（崇文国学经典普及文库）
ISBN 978-7-5403-4249-4
Ⅰ. ①柳…
Ⅱ. ①余…
Ⅲ. ①古典散文－散文集－中国－唐代
Ⅳ. ① I264.2
中国版本图书馆 CIP 数据核字（2016）第 263784 号

出 品 人　潘启胜

统　　筹　陈中琼
责任编辑　刘　丹　程　欣

出版发行　长江出版传媒｜崇文书局
地　　址　武汉市雄楚大街 268 号 C 座 11 层
电　　话　(027)87293001　邮政编码　430070

印　　刷　湖北恒泰印务有限公司
开　　本　889×1194　　1/32
印　　张　5.75
字　　数　140 千字
版　　次　2017 年 1 月第 1 版
印　　次　2017 年 1 月第 1 次印刷
定　　价　19.80 元
（如发现印装质量问题，影响阅读，请与承印厂调换）

总序

现代意义的“国学”概念，是在19世纪西学东渐的背景下，为了保存和弘扬中国优秀传统文化而提出来的。1935年，王缁尘在世界书局出版了《国学讲话》一书，第3页有这样一段说明：“庚子义和团一役以后，西洋势力益膨胀于中国，士人之研究西学者日益众，翻译西书者亦日益多，而哲学、伦理、政治诸说，皆异于旧有之学术。于是概称此种书籍曰‘新学’，而称固有之学术曰‘旧学’矣。另一方面，不屑以旧学之名称我固有之学术，于是有发行杂志，名之曰《国粹学报》，以与西来之学术相抗。‘国粹’之名随之而起。继则有识之士，以为中国固有之学术，未必尽为精粹也，于是将‘保存国粹’之称，改为‘整理国故’，研究此项学术者称为‘国故学’……”从“旧学”到“国故学”，再到“国学”，名称的改变意味着褒贬的不同，反映出身处内忧外患之中的近代诸多有识之士对中国优秀传统文化失落的忧思和希望民族振兴的宏大志愿。

从学术的角度看，国学的文献载体是经、史、子、集。崇文书局的这一套国学经典普及文库，就是从传统的经、史、子、集中精选出来的。属于经部的，如《诗经》《论语》《孟子》《周易》《大学》《中庸》《左传》；属于史部的，如《战国策》《史记》《三国志》《贞观政要》《资治通鉴》；属于子部的，如《道德经》《庄子》《孙子兵法》《鬼谷子》《世说新语》《颜氏家训》《容斋随笔》《本草纲目》《阅微草堂笔记》；属于集部的，如《楚辞》《唐诗三百首》《豪放词》《婉约词》《宋词三百首》《千家诗》《元曲三百首》《随园诗话》。这套书内容丰富，而分量适中。一个希望对中国优秀传统文化有所了解的人，读了这些书，一般说来，犯常识性错误的可能性就很小了。

崇文书局之所以出版这套国学经典普及文库，不只是为了普及国学常识，更重要的目的是，希望有助于国民素质的提高。在国学教育中，有一种倾向需要警惕，即把中国优秀的传统文化"博物馆化"。"博物馆化"是20世纪中叶美国学者列文森在《儒教中国及其现代命运》中提出的一个术语。列文森认为，中国传统文化在很多方面已经被博物馆化了。虽然中国传统的经典依然有人阅读，但这已不属于他们了。"不属于他们"的意思是说，这些东西没有生命力，在社会上没有起到提升我们生活品格的作用。很多人阅读古代经典，就像参观埃及文物一样。考古发掘出来的珍贵文物，和我们的生命没有多大的关系，和我们的生活没有多大关系，这就叫作博物馆化。"博物馆化"的国学经典是没有现实生命力的。要让国学经典恢复生命力，有效的方法是使之成为生活的一部分。崇文书局之所以强调普及，深意在此，期待读者在阅读这些经典时，努力用经典来指导自己的内外生活，努力做一个有高尚的人格境界的人。

国学经典的普及，既是当下国民教育的需要，也是中华民族健康发展的需要。章太炎曾指出，了解本民族文化的过程就是一个接受爱国主义教育的过程：“仆以为民族主义如稼穑然，要以史籍所载人物制度、地理风俗之类为之灌溉，则蔚然以兴矣。不然，徒知主义之可贵，而不知民族之可爱，吾恐其渐就萎黄也。”（《答铁铮》）优秀的传统文化中，那些与维护民族的生存、发展和促进社会进步密切相关的思想、感情，构成了一个民族的核心价值观。我们经常表彰“中国的脊梁”，一个毋庸置疑的事实是，近代以前，“中国的脊梁”都是在传统的国学经典的熏陶下成长起来的。所以，读崇文书局的这一套国学经典普及读本，虽然不必正襟危坐，也不必总是花大块的时间，更不必像备考那样一字一句锱铢必较，但保持一种敬重的心态是完全必要的。

期待读者诸君喜欢这套书，期待读者诸君与这套书成为形影相随的朋友。

陈文新

（教育部长江学者特聘教授，武汉大学杰出教授）

前言

柳宗元临终前，给他的挚友刘禹锡写过一封信，将自己的全部文稿委托他代为整理、保存。后来，刘禹锡遵嘱将其编辑成《河东先生集》，并写了一篇序言《河东先生集序》。序言对柳宗元的作品给予了很高的评价：

……天下文士，争执所长，与时而奋，粲焉如繁星丽天。而芒寒色正，人望而敬者，五行而已。河东柳子厚，斯人望而敬者欤！

一千多年过去了，即使是今天看来，这一评价仍不算过分。

柳宗元(773 – 819)，字子厚，唐代河东(今山西芮城、运城一带)人，文学家、哲学家、思想家乃至成就卓著的政治家，“唐宋八大家”之一。著名作品有《永州八记》等六百多篇文章，经后人辑为三十卷，名为《柳河东集》。因为他是河东人，人称柳河东，又因终于柳州刺史任上，又称柳柳州。

柳宗元是唐代杰出的思想家，长期贬谪远州，有更多机会接触下层人民。他的一系列文章中表现出来的进步的哲学思想、政治观点、文学主张都很有意义，在我国思想史上有重要的地位。因为周、秦诸子等文章读得很多，并且兼读“佛书”，他的思想很活跃自由。他的文学作品中，有许多很先进的思想：

《送薛存义序》阐明民权；《天说》近于地质学；《断刑论》《贞符》两篇扫除迷信。

柳宗元的考订文很好。他喜欢读周、秦诸子的文章，对于诸子的研究也很深。他做了许多考订真伪的文字，如《辩文子》《辩列子》之类。虽然不及今人的精审，但在他的前后时代是少有的。

他的寓言也很有意思。柳宗元的寓言，能独立成为一则短篇，比较的文学意味更是丰富。例如：《捕蛇者说》出于《檀弓》"孔子过泰山侧"；《梓人传》演绎《庄子》郭注"工人无为于刻木，而有为于用斧；主人无为于亲事，而有为于用臣"；《种树郭橐驼传》演绎老子的"无为而治"。众多寓言，一经演绎，便趣味无穷了。

柳宗元的山水游记极好。柳宗元被贬谪到湖南和广西，那两个地方的山水，是很好的，是很奇的。柳宗元在永州期间，心中郁郁不平，却又无可奈何，于是漫游山水，他的山水小品，便成为千古绝作。在本书里，曾被指出他有学《山海经》《水经注》的地方，却自成格局，有独立的价值。笔者认为代表了唐代山水小品的最高成就。

再者，柳宗元自述他的文学渊源，见于《答韦中立书》，读者可以参考。不过，那些话，虽然是他自述，而他的观察点和我们完全不同，所以他自己还没有说出自己的真好处，自己还没有说出自己的真价值。

本书选录，即以此为准。于考订文、寓言、游记，几乎全数选入；有思想的论说文，也选得很多。此外，选《送僧浩初序》，以见子厚对于佛学的观念；选《答韦中立书》，以见子厚自述文学的渊源。本书注释力求准确简明，翻译以直译为主，意译为辅，力求实现信、达、雅。由于注译者水平有限，如有错误之处敬请读者指正。

contents

目录

【题解】

唐代思想家柳宗元的《断刑论下》，批判了中国传统的死刑执行制度——“秋冬行刑”制，指出“刑以秋、冬”的刑罚观点是“伪也”。文章中，柳宗元首先认为“刑以秋、冬”制，“伪”在不能“罚务速而后有惩”；其次认为“刑以秋、冬”，“伪”在“言天而不言人”，借“天命”而愚民；再次认为“刑以秋、冬”，“伪”在因循守旧，拘泥时令。回击了当时法律思想界的“天刑”说，提出了新的“断刑”观点——“罚务速而后有惩”。这一刑罚观点从司法制度的角度表现了柳宗元要求变革的政治主张，同时，也是柳宗元“天人相分”自然哲学思想内容中又一精彩之笔。

断刑论下[①]

【原文】

余既为《断刑论》，或者以《释刑》复于余。其辞云云。余不得已而为之一言焉。

夫圣人之为赏罚者非他，所以惩劝者也。赏务速而后有劝，罚务速而后有惩。必曰赏以春、夏，而刑以秋、冬，而谓之至理者，伪也。使秋冬[②]为善者，必俟春、夏而后赏，则为善者必怠。春、夏[③]为不善者，必俟秋、冬而后罚，则为不善者必懈。为善者怠，为不善者懈，是驱天下之人而入于罪也。驱天下之人入于罪，又缓而慢之，以滋其懈怠，此刑所以不措也。必使为善者，不越月逾时而得其赏，则人勇而有劝焉。为不善者，不越月逾时而得其

罚，则人惧而有惩焉。为善者日以有劝，为不善者日以有惩，是驱天下之人而从善，远罪也。驱天下之人而从善，远罪，是刑之所以措，而化之所以成也。

或者务言天而不言人，是惑于道者也。胡不谋之人心以熟吾道。吾道之尽，而人化矣[4]。是知苍苍者焉能与吾事而暇知之哉？

果以为天时之可得顺，大和之可得致，则全吾道而得之矣。全吾道而不得者，非所谓天也，非所谓大和也。是亦必无而已矣。又何必枉吾之道，曲顺其时，以谄是物哉？

吾固知顺时之得天，不如顺人、顺道之得天也。何也？使犯死者自春而穷其辞，欲死不可得，贯三木[5]，加连锁，而致之狱，更大暑者数月，痒不得搔，痹[6]不得摇，痛不得摩，饥不得时而食，渴不得时而饮，目不得瞑，支[7]不得舒，怨号之声，闻于里人，如是而大和之不伤，天时之不逆，是亦必无而已矣。彼其所宜得者，死而已也。又若是焉，何哉！或者乃以为：霜雪者，天之经也；雷霆者，天之权也。非常之罪，不时可以杀，人之权也；当刑者必顺时而杀，人之经也。是又不然。

夫雷霆雪霜者，特一气耳，非有心于物者也。圣人，有心于物者也。春、夏之有雷霆也，或发而震，破巨石，裂大木，木石岂为非常之罪也哉？秋、冬之有霜雪也，举草木而残之，草木岂有非常之罪也哉？彼岂有惩于物也哉？彼无所惩，则效之者惑也。果以为仁必知经，智必知权，是又未尽于经、权之道也。何也？经也者，常也；权也者，

达经者也。皆仁、智之事也，离之，滋惑矣。经非权，则泥；权非经，则悖。是二者强名也。曰：当，斯尽之矣。

当也者，大中之道也。离而为名，大中之器用也。知经而不知权，不知经者也；知权而不知经，不知权者也。偏知而谓之智，不智者也；偏守而谓之仁，不仁者也。知经者不以异物害吾道，知权者不以常人佛吾虑，合之于一而不疑者，信于道而已者也。

且古之所以言天者，盖以愚蚩蚩[8]**者耳，非为聪明睿智者设也。或者之未达，不思之甚也。**

【注释】

①按，《断刑论上》，原缺。

②通行本无“冬”字，非是。

③通行本无“夏”字，非是。

④矣，通行本作“乎”，非是。

⑤木：谓刑具。贯三木谓项、手、足，皆有刑具。

⑥痺：病之一种。肢体失其感觉不能移动。

⑦支：同“肢”。

⑧蚩蚩（chī）：敦厚貌，此处指无知之民。

【译文】

我已经写了《断刑论》，有人用《释刑》来看待我（的这篇文章），他的言辞如此这般。我不得已因为这些而再说一次。

圣人施行赏罚，没有别的目的，是用来惩恶和劝善的。奖赏务必迅速然后才可以达成劝善（的目的），惩罚务必迅速然后才可以达成惩恶(的目的)。一定要说"奖励在春夏时令,刑罚在秋冬季节",而说它是至理的人真是虚伪啊。假使秋冬季做了善事的人,一定要等到春夏季才给予奖赏,那么做善事的人肯定会懈怠轻慢。春夏季做了坏事的人,一定要等到秋冬季才被给予惩罚,那么做坏事的人肯定会毫不紧张。做善事的人日益懈怠,做坏事的人无所畏惧,这是驱使天下的人都去犯罪啊。驱使天下的人去犯罪,并且迟迟不予处理,使其思想上轻慢疏忽得以助长,这就是刑罚难于被废置的缘故。一定要使做善事的人及时得到他(应有的)奖赏,那么人们就会勇于向善;做坏事的人及时得到他(应有的)惩罚,那么人们就会害怕,以达到惩恶(的效果)。做善事的人时时劝善,做坏事的人及时得以惩处,这是驱使天下的人向善而远离罪恶啊。驱使天下的人向善而远离罪恶,这是刑罚被废置,而教化得以成功的缘故。

有人专门讲天意而不讲人事,这是不懂得赏罚之道的人。为什么不多研究人们的思想,从而使刑赏执行得更合理些呢?我们的赏罚之道考虑得周到详尽,人们就能受到教化了,可见上苍怎么能参与我们的人事而有空来了解我们呢!

果真以为人们能够顺天时,就能有和谐之气,那么我们把赏罚之道考虑得详尽一些是可以办得到的。如果赏罚之道很详尽,还是不能顺天时致和气,就无所谓天,无所谓和气,那么这种所谓顺天时致和气的事,一定是没有的,那又何必冤屈我们的赏罚之道,歪曲顺应天时,并以此来讨好上天呢!

我坚信顺应天时以获得上天的认可,不如顺应人心与赏罚之道以获得上天的认可。为什么呢?假使犯了死罪的人从春季开始并代他的供词,想求死而不能,套上刑具、枷锁,并把他关在监狱里,经过几个月的酷热,身体痒不能搔,肢体麻木不能活动,疼痛处不能抚摸,饿了不能及时吃饭，渴了不能及时喝水，眼睛不能闭，四肢不能伸展，哀怨痛苦的号叫声，里弄的百姓们都听得到。这样而不伤和气，不违背天时，是绝不可能的！他所应该得的不过是死罪，为什么要这样对待他呢？有人就以为："雪霜交加，是上天正确不变的道理；雷霆震动，是上天衡量是非轻重以制宜。犯了异乎寻常的罪随时可以杀掉，这是人的因事制宜；该当死刑的人必须顺应天时而杀，这是人们必须遵守的道理。"这又是不对的。

雷霆雪霜，只是凝成的一气而已，不是有思想意识的事物。圣人赋予思想意识于万物。春夏之季雷声阵阵，有时产生巨大震动，震破巨石，劈开大树，树木和石头难道也犯了异乎寻常的罪吗？秋冬之季霜雪纷飞，所有的草木都已凋残衰败，草木难道也犯了异乎寻常的罪吗？它们难道要惩罚万物吗？（其实）它们是无意识地惩罚了草木巨石，而仿效它们的人真是糊涂啊，果真认为忠厚的人一定懂得"经"，聪明的人一定懂得"权"，这样不是完全懂得"经"和"权"的道理。为什么呢？所谓"经"，就是固定不变的常规；所谓"权"，就是明白通晓"经"的道理而灵活运用，这都是仁智之事，如果把它们分割开来，就会产生迷乱。"经"离开"权"就会变得固执死板，"权"离开"经"就会产生错误与混乱，这两个名称是勉强的命名罢了。说它们是恰当的，就已经穷尽了。

（把经和权理解成相反相成的统一体，）这就是当，就是大中之道；把（它们）分开来命名，（为了讲说方便，）这就是器用。只知"经"而不懂得"权"，才是真的不懂得"经"的人；知道"权"却不熟悉"经"，才是真的不懂得"权"的人。（只知权而不知经叫作偏知，）把偏知的人说成智，不是真正的智者；（只知经而不知权叫作偏守，）把偏守的人说成仁，不是真正的仁者。知经的人，不会以特殊的情况来妨碍我所说的常理；知权的人，也不会持一般人的见解而违背我所思考的道理。只有把经和权统一起来考虑而不怀疑的人，才是真正明白事理的人。

而且，自古以来宣扬天命的人，都是为了愚弄欺骗老百姓罢了，（天命）并不是为聪明睿智而设定的。有人之所以不明白这些道理，是因为不多动脑筋啊。

【题解】

唐王朝统治者自称是老子后人，推崇道教。《新唐书·艺文志》有注说："天宝元年(742)诏，号《庄子》为《南华真经》，《列子》为《冲虚真经》，《文子》为《通玄真经》，《亢桑子》为《洞灵真经》。"天子诏书尊奉，士人学子无不风靡。而柳宗元却反其势，于贬谪永州期间作《辩列子》《辩文子》《辩亢仓子》和《辩鹖冠子》进行议辩，说它们都是后人伪托和窜乱附益之作。柳宗元是继刘知几之后唐代辨伪成就最大的一位学者。本文开《列子》辨伪先河，对后世产生了极大的影响。

辩　列　子[①]

【原文】

刘向[②]，古称博极群书，然其录《列子》，独曰郑穆公时人。穆公在孔子前几百岁，《列子》书言郑国，皆云子产，邓析[③]。不知向何以言之如此。

《史记》，郑公二十四年，楚悼王四年，围郑，郑杀其相驷子阳。子阳正与列子同时，是岁周安王三年，秦惠王，韩列侯，赵武侯二年，魏文侯二十七年，燕釐公五年，齐康公七年，宋悼公六年，鲁穆公十年。不知向言鲁穆公时，遂误为郑耶。不然，何乖[④]错至如是。

其后，张湛[⑤]徒知怪《列子》书言穆公后事，亦不能推知其时；然其书亦多增窜[⑥]，非其实。

要之，庄周[⑦]为放[⑧]依其辞，其称夏棘[⑨]，狙公[⑩]、纪渻子[⑪]、季咸[⑫]等，皆出列子，不可尽纪。虽不概于孔子道，

然其虚泊寥阔，居乱世，远于利，祸不得逮于身，而其心不穷。《易》之遁世无闷[13]者，其近是欤！余故取焉。

其文辞类《庄子》，而尤质厚，少为作，好文者可废耶。其《杨朱》《力命》[14]，疑其杨子书。其言《魏牟》《孔穿》[15]皆出列子后，不可信。然观其辞，亦足通知古之多异术也。读焉者慎取之而已矣。

【注释】

①《列子》：共8卷。旧传周列御寇撰，实为后人假托。

②刘向：字子政，西汉末人。明帝时典校秘书。

③子产：姓公孙，名侨，郑大夫。邓析：郑辩智之士，执两可之说。二人皆在穆公之后。

④乖：不合也。

⑤张湛：东晋时人，尝注《列子》。

⑥窜：改也。

⑦庄周：战国时蒙人，著《庄子》三十三篇。

⑧放：通“仿”，效也。

⑨夏棘：汤大夫。

⑩狙公：善养猿猴。

⑪纪渻子：善养斗鸡。渻，音省。

⑫季咸：古之神巫。

⑬遁世无闷：《周易》中说：遁世无闷，不见是而无闷。

⑭杨朱：人名。此处《杨朱》《力命》，皆《列子》书中篇名。

⑮魏牟：魏文侯子。孔穿：孔子之孙。

【译文】

刘向，自古以来就以博览群书著称，然而他在录叙《列子》的时候，竟说列子是郑穆公时期的人。穆公比孔子早几百年，而《列子》书中提到郑国，总是说子产、邓析等人，不知道刘向为何会说出这样的话？

《史记》记载：郑繻公二十四年，楚悼王四年，楚国围攻郑国，郑国人杀死国相驷子阳。子阳和列子是同时期的人。这一年，是周安王三年，秦惠王、韩烈侯、赵武侯二年，魏文侯二十七年，燕厘公五年，齐康公七年，宋悼公六年，鲁穆公十年。不知道刘向是不是在说鲁穆公时错说成了郑穆公？要不然，怎么会有这样的错误？

刘向之后，张湛只知道《列子》书中讲的是穆公之后的事，也并不能推断出到底是什么时候。而且他的书中有很多增删篡改，并不真实。

总之，庄周为仿效这样的说辞，他说夏棘、狙公、纪渻子、季咸等人，都是出自于《列子》的，不可全信。《列子》虽不归属于孔子之学说，但是它的思想清虚空远。在乱世之中，远避名利，灾祸近不得身，它的思想是没有终极的。《易》中"逃避世俗而心无忧烦"的人，是与之相近的吧？这是我认为可取的。

《列子》的文风与《庄子》相近，但是更为质朴，少造作，喜好文章的人岂能不读？其中《杨朱》《力命》两篇，疑为杨子所作。文中有说道：魏牟、孔穿都是列子之后的人，是不可以信的。但是，查看它的文辞，也可以知道古代有很多异说了，读过的人谨慎取用为好。

【题解】

本文是柳宗元永州期间所做的议辩文。文子，是老子的弟子，本名辛妍，字文子。《汉书·艺文志·道家》著录《文子》九篇，为汉人依托之作。其书杂取儒、墨、名、法诸家语，以解《道德经》。柳宗元在《辩文子》中称其为“驳(杂乱)书”。

辩 文 子[①]

【原文】

《文子》书十二篇。其传曰：老子弟子。其辞时有若可取。其指意皆本老子。

然考其书，盖驳[②]书也。其浑而类者少，窃取他书以合之者多。凡孟、管[③]辈数家皆见剽窃，峣然[④]而出其类。其意绪文辞，叉牙[⑤]相抵而不合。不知人之增益之欤？或者众为聚敛以成其书欤？

然观其往往有可立者，又颇惜之。悯其为之也劳，今刊去谬恶乱杂者，取其似是者，又颇为发其意，藏于家。

【注释】

①文子：不知其名。《汉志》但称其为老子弟子。或谓即计然，非是。或又谓即文种。有书二卷。

②驳(bō)：庞杂。

③孟、管：即孟轲、管仲。通行本作“孟子”，非是。

④峣(yǎo)：高貌。

⑤叉牙：歧出之意。

【译文】

《文子》这本书共有十二篇，它的注疏说作者是老子的弟子。它的文辞偶尔似乎有些可取的，它的主旨都是自《老子》那里来的。

但是，仔细考辨这本书，它不过是一本杂书。它里面浑然一致的内容少，窃取其他书糅合在一起的内容多。大凡孟子、管子等数家的内容都被剽窃，突兀地出现在其众多内容中。它的内涵、脉络与语言，像狗牙一样相互抵触，不甚融洽。不知道是不是有人故意给它增添内容？还是众多的人把不同的内容聚集在一起而形成了这本书？

然而，看到它的那些散见于各处的可取的内容，我又替他感到很惋惜。可怜他完成此书如此辛劳，现在删去那些错误的、坏的、杂而乱的内容，留下他的那些可取的内容，然后再很好地阐发它的意旨，收藏于家中。

【题解】

《论语辩二篇》，上篇对《论语》的编者提出质疑，经过分析，认为这部书不是孔子弟子记录整理的，而是曾参的弟子最后编成的。下篇对《论语》开头引用尧、舜的话进行分析，认为《论语》这部书中没有比这段话更重要的语句了。

论语辩二篇[①]

【原文】

或问曰："儒者称：《论语》，孔子弟子所记。信乎？"

曰："未然也。孔子弟子，曾参[②]最少，少孔子四十六岁，曾子老而死，是书记曾子之死，则去孔子也远矣。曾子之死，孔子弟子略无存者矣。吾意曾子弟子之为之也。何哉？且是书载弟子必以字，独曾子、有子[③]不然。由是言之：弟子之号之也。然则有子何以称子？曰：孔子之殁也，诸弟子以有子为似夫子，立而师之[④]，其后不能对诸子之间，乃叱[⑤]避而退，则固尝有师之号矣。今所记独曾子最后死，余是以知之。盖乐正子春、子思[⑥]之徒，与为之尔。或曰：孔子弟子尝杂记其言，然而卒成其书者，曾氏之徒也。"

"尧曰：'咨尔舜，天之历数在尔躬，四海困穷，天禄永终。'舜亦以命禹。'余小子履，敢用玄牡，敢昭告于皇天后土：有罪不敢赦。万方有罪，罪在朕躬；朕躬有罪，无以尔万方。"[⑦]

或问之曰："《论语》书，记问对之辞尔；今卒篇之首章，然有是，何也？"

柳先生曰："《论语》之大，莫大乎是也。是乃孔子常常讽道之辞云尔。彼孔子者，履生人之器也。上之尧、舜之不遭，而禅[8]不及己；下之无汤之势，而己不得为天吏[9]。生人无以泽其德，日视闻其劳死怨呼，而己之德，涸然[10]无所依而施，故于常常讽道云尔而止也。此圣人之大志也，无容问对于其间。弟子或知之，或疑之，不能明，相与传之；故于其为书也，卒篇之首，严而立之。"

【注释】

①《论语》二十篇，世称为孔子弟子记孔子言行之书。

②曾参：字子舆，武城（今山东平邑）人。孔子卒时，曾参年二十六。

③有子：名若，晋人。

④《孟子》：子夏、子游、子张，以有若似圣人，欲以所事孔子事之。

⑤叱：呵责也。

⑥乐正子春：曾子弟子，鲁人。子思：名伋，孔子之孙，受学于曾子。

⑦以上《论语》原文，见《论语·尧曰》。履：汤名。玄牡：黑牡。黑属水，祷雨，故用黑牡。

⑧禅：代。《孟子》：唐、虞禅。谓尧、舜、禹相传授。

⑨天吏：犹云奉行天命之人。

⑩涸然：通行本作"涸焉"，非是。

【译文】

有人说：儒家学者认为《论语》是孔子的弟子记录的，可信吗？

我认为未必是这样。孔子的弟子中,曾参是年龄最小的,比孔子小四十六岁。曾参年老而死。这部书记载了曾参之死,已经是距离孔子更远的时代了。曾参老死的时候,孔子的弟子几乎没有在世的了。我认为是曾子弟子无意中完成了这部书,为什么这么说呢?这部书记录孔子弟子时,都称呼他们(孔子的弟子)的字(而没有称呼他们的名),(但是)唯独曾子、有子例外。由此可以说,这本书是(按照)他们(曾子、有子)的立场来写的。但是为什么"有子"也称"子"呢?我(个人)认为,孔子死后,弟子们认为有子对孔子的继承比较多,(言行以及思想)比较接近孔子,(所以)拥戴他(有子)为老师。后来,(有子)并不能回答众人提出的各种问题。于是自己(从老师的位置上)退下来了。但是,老师这个称号却留下来了。今天我们看到的《论语》唯独记录了曾子最后死亡,我凭这点知道这个事情。大概乐正、子春、子思等人也参与了这部书的记录。人们都说,是孔子的弟子曾经记录了孔子的言行,(其实)完成这部书的作者,应该是曾子的弟子。

"尧帝说:'啧啧!你这位舜!上天的大命已经落在你的身上了,假如天下百姓都隐于困苦和贫穷,上天赐给你的禄位也就会永远终止。'舜也这样告诫过禹。(商汤)说:'我小子履谨用黑色的公牛来祭祀,向伟大的天帝祷告:有罪的人我不敢擅自赦免,天帝的臣仆我也不敢掩蔽,都由天帝的心来分辨、选择。天下万方若有罪,都归我一个人承担。我本人若有罪,不要牵连天下万方。'"

有人问此说:"《论语》这本书,记录(孔子及其弟子的)问与答的话而已;现在它最后一篇的第一章,却有这些,为什么呢?"

柳先生回答说:"《论语》之主旨宏大,没有大过这章的主旨。这就是孔子常常讽诵称说的话啊。孔子,具备救万民的才干。往前没有逢着尧、舜，禅让与他无关；往后又没有商汤立国的大势，因而自己不能做奉行天命的人。人生却没有办法润泽他们的道德，每天看着、听着他们的辛劳、死亡、哀怨与呼号，而自己的道德，黯淡无光地没有凭依而不能得以施展，所以仅仅止于常常讽诵称说而已。这是圣人的大志向，不需要在这里面问与答。（孔子的）弟子有的了解，有的疑惑，不能明白的，就相互传告；所以，把这些结集为一本书时，最后一篇的第一章，就严明而立此意。”

【题解】

鬼谷子，战国时纵横家之祖，传说是苏秦、张仪的老师。因其隐居在颍川阳城的鬼谷，自号鬼谷先生，世称鬼谷子。《史记·苏秦传》索隐说：“苏秦欲神秘其道，故假名鬼谷。”看来汉代就对鬼谷子是否有其人存疑。柳宗元的《辩鬼谷子》创作于他贬谪永州期间，是其议辩文的代表作。文章认为《鬼谷子》一书“以妄言乱世，使人易于堕落”。

辩鬼谷子①

【原文】

元冀②好读古书，然甚贤《鬼谷子》，为其《指要》几千言。

《鬼谷子》要为无取。汉时刘向、班固③录书，无《鬼谷子》。《鬼谷子》后出，而险盭④峭薄，恐其妄言乱世，难信。学者宜其不道。而世之言纵横⑤者，时葆⑥其书。尤者，晚乃益出七术⑦。怪谬异甚，不可考校。其言益奇而道益陋⑧，使人狙⑨狂失守，而易于陷坠。幸矣！人之葆之者少。

今元子又文之以《指要》。呜呼！其为好术也过矣！

【注释】

①鬼谷子：战国时人。隐居鬼谷，因以自号。苏秦、张仪师之。

②元冀：人姓名。著有《鬼谷子指要》一书。

③刘向：见《辩列子》注。班固：东汉初人，著《汉书》。

④盭(lì)：狠也。

⑤纵横：周、秦时九流之一。以审察时势，游说劝人为事。如苏秦、张仪之徒是也。

⑥葆：与“宝”通。

⑦七术：《鬼谷子》下篇有阴符七术。

⑧陿：同“狭”。

⑨狙：狡诈也。

【译文】

元冀喜好读古书，而且尤其喜爱《鬼谷子》，他为《鬼谷子》写的《指要》之文，有几千字。

《鬼谷子》其实没有什么可取之处。汉代的刘向、班固作史书时，并未收录《鬼谷子》。《鬼谷子》是后来才有的，其文乖戾刻薄，恐怕这样的言论会扰乱时世，难以取信世人，学者不宜传说。但是世上的纵横家们，经常留存此书。更有甚者，后来竟写出《七术》这样的书，怪异荒谬至极，禁不起查考比较。它的言论越是奇怪，它讲的道理就越狭隘，容易使人狂妄失去其根本，陷入其中不可自拔。幸运的是留存它的人毕竟是少数。

现在元子又为它写《指要》这篇文章，哎呀，他实在是太过于喜好“术”了。

【题解】

《辩晏子春秋》是儒墨之辩，凭柳宗元的学识，隐者尽现，明察秋毫。晏子，春秋齐国大夫，本名晏婴。《史记》有传，《汉书》称其人，列于儒家。而汉代刘向和后来都有人把晏子归于墨家。柳宗元认为《晏子春秋》是墨子之徒齐人者所作。

辩晏子春秋①

【原文】

司马迁②读《晏子春秋》，高之，而莫知其所以为书。或曰：晏子为之，而人接焉。或曰：晏子之后为之。皆非也。

吾疑其墨子③之徒，有齐人者为之。墨好俭，晏子以俭名于世④，故墨子之徒，尊著其事，以增高为己术者。

且其旨多"尚同""兼爱""非乐""节用"，非"厚葬""久丧"者⑤，是皆出墨子。又非孔子，好言鬼事。"非儒""明鬼"⑥，又出墨子。其言"问枣"⑦及"古冶子"⑧等，尤怪诞⑨。又往往言墨子闻其道而称之。此甚显白者。

自刘向、歆，班彪、固父子⑩，皆录之儒家中，甚矣！数子之不详也。盖非齐人不能具其事，非墨子之徒则其言不若是。

后之录诸子书者，宜列之墨家。非晏子为墨也，为是书者墨之道也。

【注释】

①晏子：名婴，字平仲，春秋时齐人。相景公。《晏子春秋》，著其行事及诤谏之言。《汉志》八篇，但称《晏子》；《隋志》七卷，始名《晏子春秋》。

②司马迁：字子长，汉武帝时龙门人。作《史记》。其列传中有《管晏列传》。

③墨子：名翟，战国时人。有书六十三篇。以“兼爱”“节用”“明鬼”“非命”等说为主。

④《礼》：晏婴一狐裘三十年，遣车一乘。又：晏平仲祀其先人，豚肩不掩豆。均述其俭。

⑤自“尚同”至“节用”，皆墨子篇名。“非厚葬”“久丧”指《墨子·节葬》篇所言。以上皆墨子之主张也。

⑥“非儒”“明鬼”皆为《墨子》篇名。亦墨子之主张也。

⑦《晏子春秋》：景公谓晏子曰：“东海之中，有水而赤；其中有枣，华而不实，何也？”晏子对曰：“昔者秦缪公乘龙舟而理天下，以黄布裹蒸枣，至东海，而捐其布。彼黄布，故水赤；蒸枣，故华而不实。”

⑧《晏子春秋》：公孙捷、田开疆、古冶子事景公，勇而无礼。晏子言于公，馈之二桃，曰：“三子计功而食桃。”公孙捷曰：“吾持盾而再搏乳虎，可以食桃。”田开疆曰：“吾杖兵而御三军者再，可以食桃。”古冶子曰：“吾尝济河，龟衔左骖，冶潜行水底，逆流百步，顺流九里，得鼋而杀之，左牵马尾，右絜鼋头，鹤跃而出。可以食桃矣。”二子曰：“吾勇不若子，功不逮子，取桃不让，是贪也。然而不死，无勇也。”皆反其桃，絜领而死。古冶子曰：“二子死之，吾独生，不仁。”亦契领而死。

⑨诞：妄也。

⑩刘向：见《辩列子》注。歆：为刘向之子。班固：见《辩鬼谷子》注。班彪：为班固之父。

【译文】

司马迁读了《晏子春秋》，认为（它）写得很好，却不知道它成书的原因。有的人说：（《晏子春秋》）是晏子写的，由后人续写。有的人说：（《晏子春秋》）是晏子的后代写的。（这两种观点我认为）都是错误的。

我怀疑《晏子春秋》是由墨子信徒里的齐国人所著。墨家提倡节俭，晏子因节俭在世中名传已久，所以墨子的信徒根据他的行事方式，用提高晏子学说的方式来发扬自己的学说。

况且《晏子春秋》的主旨多有上下一心为人民服务、完全的博爱、反对复杂的礼乐、节俭、反对隆重的葬礼和长久的戴孝之类，都是出自墨子的学说。反对孔子，喜欢谈论鬼事；反对儒家，尊重前人智慧和经验，也都是出自墨子的学说。这之中的言论"问枣"和"古冶子"等更加怪诞。（《晏子春秋》里）有不少地方说墨子听到了这种学说后大加称赞，这已经是十分明显的了。

刘向、歆，班彪、固父子，都将《晏子春秋》收录到儒家的著作中。这几个人不详细查询考证，错得实在太离谱了。如果不是齐国的人是不能详细地写出这些事的，如果不是墨子的信徒这话也不会说到这种地步。

以后收录诸子书的人，应当将《晏子春秋》列在墨家（的著作）。这不是因为晏子是墨家的人，而是因为写书的人用的是墨家观点。

【题解】

本文是柳宗元议辩文代表作之一，作于贬谪永州期间。《亢仓子》也称《亢桑子》。亢仓子，《庄子》里的寓言人物，其书散失已久。唐时襄阳处士王士源，杂取《老子》《庄子》《列子》《文子》《商君书》《吕氏春秋》《说苑》《新序》等编成《亢仓子》，献给朝廷。柳宗元作《辩亢仓子》，认为此书为伪书。

辩亢仓子[1]

【原文】

太史公[2]为《庄周列传》，称其为书，畏累、亢桑子[3]，皆空言无事实。

今世有《亢桑子》书，其首篇出《庄子》，而益以庸言。盖周所云者，尚不能有事实，又况取其语而益之者，其为空言尤也。

刘向、班固录书，无《亢仓子》，而今之为术者，乃始为之传注[4]，以教于世，不亦惑乎！

【注释】

①亢(gēng)仓子：《庄子》作《庚桑楚》。楚：为名；庚桑：为姓。《史记》作《亢桑子》。其书系唐开元时王士源所撰。

②太史公：即司马迁。

③畏累：或作“畏垒”，山名。畏垒、亢桑子，均见于《庄子》。大抵皆寓言，故司马迁谓其“空言无事实”。

④按,《亢仓子》,有何璨注。子厚所云"今之为术者,乃始为之传注",疑指此。

【译文】

太史公写《庄周列传》,说他所写的《畏累》《亢桑子》等内容,都空设言语,没有实事。

现在世上出现一本《亢桑子》的书,它的首篇就出自《庄子》,并且增加了更多的日常言辞。庄周所说的尚没有事实依据,更何况从《庄子》中抽取一些语句,并添枝加叶,那它就更是空言了。

刘向、班固在其著作里收录的书籍中并没有《亢仓子》,现在一些从事学术的人,才开始为这本书注疏,并将其教授给世人,这不也是很糊涂吗!

【题解】

本文作于柳宗元贬谪永州时期，为议辩文，认为《鹖冠子》为好事者伪作。鹖冠子，春秋时的楚人。他隐居深山，以鹖羽为冠，故自谓其号。《鹖冠子》叙说《道德经》，兼杂刑名阴阳之说。韩愈曾有《读鹖冠子》一文，可认识不及柳。柳宗元读书考据经典真伪，绝不盲从，这不是一般人所能做到的。

辩鹖冠子①

【原文】

余读贾谊②《鹏鸟赋》③，嘉其词，而学者以为尽出《鹖冠子》④。

余往来京师，求《鹖冠子》，无所见；至长沙，始得其书。读之，尽鄙浅言也。惟谊所引用为美，余无可者。吾意好事者伪为其书，反用《鹏鸟赋》以文饰之，非谊有所取之，决也。

太史公《伯夷列传》称：贾子⑤曰："贪夫殉财，烈士殉名，夸⑥者死权。"不称《鹖冠子》。迁号为博极群书，假令当时有其书，迁岂不见耶！假令真有《鹖冠子》书，亦必不取《赋》以充入之者。何以知其然耶？曰：不类。

【注释】

①《汉志》有《鹖冠子》一篇。鹖冠子：楚人。居深山，不显名氏，以鹖羽为冠，因自号焉。

②贾谊:汉初人。政治家,文学家。

③鵩:鸮鸟,不祥之鸟也。贾谊谪居长沙,有鸟飞入谊舍,止于座隅;谊因感而作赋。

④按,《鹖冠子·世兵篇》,其词正与贾谊赋相乱。

⑤贾子:即贾谊。

⑥夸:华言无实曰"夸"。

【译文】

我读西汉贾谊的《鵩鸟赋》,称赞他的文辞,但是学者们以为这些优美的文辞都是出自《鹖冠子》。

我(曾多次)往返于京师,寻找《鹖冠子》,都没有看到;直到到了长沙,才得到这本书。阅读这本书时,(我发现)里面都是些粗俗浅陋的言语。只有贾谊所引用的那些言辞才算美,其余的没有好的。我猜想是好事者伪作了这本书,相反用《鵩鸟赋》里的语言来文饰它,并不是贾谊从这本书里有所获取,可以断定(是这样的)。

太史公在《伯夷列传》中称赞贾谊说:"贪吝的人为财而死,有气节的人为名献身,夸耀权势的人死于争权。"这与《鹖冠子》所说不符。司马迁号称博览穷尽群书,假设当时有这本书,司马迁怎么会没看到呢?假设真有《鹖冠子》这本书,也一定不会取《鵩鸟赋》中的内容来充入其中。凭什么知道这些呢?那就是:(它们)完全不一样。

【题解】

这是柳宗元被贬永州期间与韩愈讨论“天人关系”的一篇重要哲学文章。它被收入《河东先生集》《柳宗元集》。文章着重批判天能赏罚的唯心主义天命观，阐发天没有意志而是物质实体的观点。文章指出天、地、阴阳与果瓜、草木等同样都是自然现象，是物质存在的不同形式。天没有意志，不能赏功罚恶，“功者自功，祸者自祸”。国家的兴亡衰盛、个人的贵贱祸福，与天根本不存在互相感应的关系。《天说》坚持唯物主义观点，阐述了天人关系的问题。

天　说

【原文】

韩愈[①]谓柳子曰：“若知天之说乎？吾为子言天之说。今夫人有疾痛、倦辱、饥寒甚者，因仰而呼天曰：‘残民者昌，佑民者殃。’又仰而呼天曰：‘何为使至此极戾也？’若是者举不能知天。夫果蓏[②]饮食既坏，虫生之。人之血气败逆壅底，为痈疡疣赘瘘痔[③]，虫生之。木朽而蝎[④]中，草腐而萤飞。是岂不以坏而后出耶。物坏，虫由之生。元气阴阳之坏，人由之[⑤]生。虫之生而物益坏，食啮之，攻穴之，虫之祸物也滋甚。其有能去之者，有功于物者也？繁而息之者，物之雠也。人之坏元气阴阳也亦滋甚。垦原田，伐山林，凿泉以井饮，窾[⑥]墓以送死，而又穴为偃溲[⑦]，筑为墙垣城郭台榭观游[⑧]，疏为川渎沟洫陂池[⑨]，燧木以燔[⑩]，革金以熔[⑪]，陶甄琢磨[⑫]，悴然使天地万

物不得其情，幸幸冲冲[13]，攻残败挠[14]而未尝息，其为祸元气阴阳也，不甚于虫之所为乎。吾意有能残斯人，使日薄[15]岁削，祸元气阴阳者滋少，是则有功于天地者也。蕃而息之者，天地之雠也。今夫人，举不能知天，故为是呼且怨也。吾意天闻其呼且怨，则有功者受赏必大矣。其祸焉者，受罚亦大矣。子以吾言为何如？”

柳子曰：“子诚有激而为是耶？则信辩且美矣。吾能终其说。彼上而玄者，世谓之天；下而黄者，世谓之地。浑然而中处者，世谓之元气；寒而暑者，世谓之阴阳。是虽大，无异果蓏痈痔草木也。假而有能去其攻穴者，是物也，其能有报乎？蕃而息之者，其能有怒乎？天地；大果蓏也。元气，大痈痔也；阴阳，大草木也。其乌能赏功而罚祸乎？功者自功，祸者自祸，欲望其赏罚者大谬。呼而怨，欲望其哀且仁者愈大谬矣。子而信子之仁义以游其内，生而[16]死尔，乌置存亡得丧于果蓏痈痔草木耶。”

【注释】

①韩愈：字退之。柳宗元同时人。

②蓏(luǒ)：木实为果，草实为蓏。

③痈、疽为外症疮疖之统称。赤肿者为痈，不赤肿者为疽。疡(yáng)：头疮。见《左传》。身疮为疡。见《礼记》。疣赘：(yóu zhuì)，赘疣，结肉。瘘(lòu)：疮久曰瘘，俗谓之漏管。痔：痔疮。

④蝎(xiē)：木中蠹也。俗称蛀虫。

⑤之：通行本作“而”，非是。

⑥窾(kuǎn)：凿窍。

⑦偃:同“堰”。壅水为堰。溲:小便厕所。
⑧观游:观游场所。
⑨渎:沟。沟洫:田间水道。陂:泽障,所以蓄水。
⑩燧:所以取火之木。燔:烧。
⑪革:改。熔:使金属熔化为流质。
⑫陶甄:皆谓制瓦器。琢:以刀斫之。磨:以两物相擦使之光泽。琢磨指治玉器。
⑬幸幸:同“悻悻”、怒意。冲冲:冲突貌。
⑭挠:败也。
⑮薄(pò):逼迫也。
⑯而:犹“与”。

【译文】

韩愈对柳宗元说:“你知道关于天的道理吗?我给你谈谈关于天的道理吧。现今有人在患病疼痛、劳苦委屈、饥饿寒冷最厉害的时候,就会仰面呼天说:‘残害人民的人反而昌盛,保护人民的人反倒遭殃!’又仰面怨天说:‘你为什么使世道变得这样极端不合理呀!’我看说这些话的人,都是不懂得天的。瓜果、饭菜坏了,虫子就会生出来;人的血气瘀塞不畅,就会长毒疮、肉瘤、痔瘘,并从中生出虫子;树木腐坏了,内部就产生蠹虫;野草腐烂了,就有萤火虫飞出。这些难道不是因为物坏了才产生出来的吗?物坏了,虫子就由此而生;元气、阴阳坏了,人就由此而生。虫子生出来后,物就更加坏了。虫子吃它、咬它,在它上面穿孔打洞,对物的损害就更厉害了。如果有人能除掉虫子,那他就有功于物;有人要是帮助虫子繁殖生长,那他就是物的仇敌。人对于元气、阴阳的破坏实在日益严重:他们开垦田地,砍伐山林，凿井取水，挖穴埋人，而且还挖坑做厕所，修建内城外郭、亭台水榭、观楼别馆，疏通河道、沟渠，挖池塘，钻木取火烧烤东西，熔化金属制造器物，制造陶器，琢磨玉石，使得天地万物衰败残破，不能顺从其本性发展。人类这样怒气冲冲、一个劲地进行糟蹋破坏，从来没有停止过。这对元气阴阳造成的祸害，不是比虫子对物的损害更严重吗？我认为，如果有谁能够残害这些人，使他们一天天、一年年减少，从而使祸害元气阴阳的人越来越少，那他就有功于天地；要是相反，让这些人不断繁殖增加，那他就是天地的仇敌。今天的人都不懂得关于天的道理，所以才发出那样的呼叫和埋怨来。我想天是会听到他们的呼叫和埋怨的，只是对有功的进行大大的奖赏，对造祸的进行重重的惩罚罢了。你觉得我说得怎样？"

柳宗元说："你真是因有所感才发这种议论的吧？这番话确实是言词巧辩说得美妙。对我来说，能把关于天的道理说得透彻。那个在上面而且呈青色的东西，人们把它叫作天；在下面颜色是黄色的东西，人们把它叫作地；那弥漫充塞在天地之间的东西，人们称它为元气；寒来暑往的变化，人们称它为阴阳。天地、元气、阴阳虽然大，但无异于瓜果、痈痔、草木。假如有人能够除去瓜果、草木上穿孔打洞的蛀虫，瓜果、草木会报答他吗？假如有人把蛀虫繁殖培养得很多，瓜果、草木会恼怒吗？天地就是大瓜果，元气就是大痈痔，阴阳就是大草木，它们怎么能赏功罚祸呢？有功劳的，是他自己创建的功劳；有灾祸的，是他自己招致的灾祸，希望天能够赏功罚祸，是十分荒谬的；向天呼叫埋怨，希望天发善心可怜他，那就更加荒谬了。你如果相信你的道义而把它当作行动的规范，那你就为道义而生、为道义而死好了，何必把生死得失的原因归之于和瓜果、痈痔、草木一样的'天'呢？"

【题解】

柳宗元擅写寓言散文，并使寓言独立成篇，每个故事中都包含着他对各种社会现象的深刻观察。他善于用各种动物拟人，抓住某一特性加以夸张，使读者可以从中领会作者对当时社会政治的讽喻和批判意旨。本文选自《寓林折枝》，是柳宗元的一篇寓言。文章通过对鹘的描写，说明不能从表面分辨人的善恶的道理，类比贴切、择喻精当、寓意警策。鹘的形象及其作为，显示了作者崇高的审美理想。

鹘　说

【原文】

有鸷曰鹘[①]者，穴于长安[②]荐福浮图[③]有年矣。浮图之人[④]，室宇于其下者，伺之甚熟。

为余说之曰："冬日之夕，是鹘也，必取鸟之盈握者，完而致之以燠[⑤]其爪掌，左右而易之；旦，则执而上浮图之跂[⑥]焉，纵之；延其首以望，极其所；如往，必背而去焉，苟东矣，则是日也不东逐，南北西亦然。"

呜呼！孰谓爪吻[⑦]毛翮之物而不为仁义器耶！是固无号位爵禄之欲，里闾亲戚朋友之爱也，出乎鷇卵[⑧]，而知攫食决裂之事尔，不为其他，凡食类之饥，唯旦为甚，今忍而释之，以有报也，是不亦卓然有立者乎。用其力而爱其死，以忘其饥，又远而违之，非仁义之道耶！恒其道，一其志，不欺其心，斯固世之所难得也。

余又疾夫今之说曰：以煦煦[⑨]而默，徐徐[⑩]而俯者，善

之徒；以翘翘[11]而厉，炳炳而白[12]者，暴之徒。今夫枭鸺[13]晦于昼而神于夜；鼠，不穴寝庙[14]，循墙而走，是不近于煦煦者耶？今夫鹘：其立趯[15]然，其动砉[16]然，其视的然[17]，其鸣革然[18]，是不近于翘翘者耶！由是而观其所为，则今之说为未得也。

孰若鹘者，吾愿从之。毛耶？翮耶？胡不我施！寂寥[19]泰清[20]，乐以忘饥。

【注释】

①鹘(gǔ)：鸷鸟，似鹰。鸷：猛鸟。

②穴：用作动词，筑穴。长安：在今陕西西安西北。

③荐福：寺名。浮图：塔。

④浮图之人：指佛教徒。

⑤燠(yù)：暖，热。

⑥跂：举踵也，此处作名词用。

⑦吻：口边。

⑧鷇(kòu)：雏鸟须母哺食者曰鷇。

⑨煦煦(yù)：温和也。

⑩徐徐：安稳貌。

⑪翘翘：高竦貌。

⑫炳炳而白：谓凶猛之彰著也。

⑬枭：猛鸟。昼伏夜出，捕小鸟而食之。鸺(xiū)：猫头鹰。

⑭寝庙：庙前曰“庙”，庙后曰“寝”。《左传》：夫鼠昼伏夜动，不穴于寝庙，畏人故也。

⑮趯(tì)：跳貌。

⑯砉(huā)然：象声词，形容动作迅速的声音。

⑰的然：明朗貌。

⑱革然：形容鸣声之怪异。

⑲寂寥：寂寞无声。

⑳泰清：谓天空。

【译文】

有一种猛禽名叫鹘，在长安的荐福佛塔上筑巢居住已经很多年了。在荐福寺居住的和尚住在佛塔下面伺探过它，对它非常熟悉。

(和尚)对我讲起这只鹘说："到了冬天的晚上，这只大鹘一定要带一只盈盈一握的小鸟完整无缺地回到巢穴之中，来捂热小鸟的爪掌，还左右不停地轮换着捂。到第二天早上就带上小鸟，登上荐福寺佛塔的顶端，放走那只小鸟，伸长脖子翘首而望，极目张望小鸟所飞往的方向，它自身一定背着这个方向而离开。假如小鸟飞向东方，那么它这一天决不会去东方逐食，其他的南、北、西三个方向的情况也是这样。"

唉，谁说爪吻毛翮的动物就不做仁义的事呢？鹘本来是没有名声职位、官爵俸禄的欲望，没有邻里亲戚朋友的友爱之心，它从壳卵之中出生，就知道攫取食物撕裂后吞吃，不做别的事情。大凡像鹘鸟这类肉食动物的饥饿感，在早晨的时候最为严重，现在它却强忍饥饿把手中的食物放飞，想要有所回报。这难道不是卓然而有所树立吗？用了它自己的力气又可怜小鸟的将死，因而忘记了自己的饥饿，又远远地避开那只小鸟，这难道不是仁义之道吗？坚持自己的主张，专一自己的心志，不欺骗自己的内心，这本来就是最难得找寻到的。

我又痛惜现在人们的说法，说道："样子和悦而默然无语，动作舒缓而俯伏相问的，一定是善良之人；高高地跃起、明明白白地说出来的，一定是凶暴之人。”现在鸱鸺（猫头鹰）白天看不清东西，晚上却双目炯炯有神，老鼠也不在祭祀的寝庙打洞筑穴，站着墙根而跑，这难道不是近似于样子和悦吗？现在，鹘站立着，好像要跃起来的样子，它行动起来砉然有声，它看东西清清楚楚，它的鸣叫有如钟鼓之声，这难道不是近似于高高而立的吗？由和尚所说的事情来观察它的所作所为，那么现在人们的说法就是不对的了。有谁像鹘鸟那样做的，我愿意跟随他，向他学习。毛翮之鸟啊，为什么不施惠于我？在寂寥的天空中，它欢乐而忘却了腹中的饥饿。

【题解】

此文是柳宗元散文名篇。本文抓住蛇毒与苛政之毒的联系，巧用对比，通过捕蛇者与毒蛇之毒来衬托赋税之毒，突出了社会的黑暗。文章笔锋犀利，文情并茂，堪称散文中的杰作。千百年来一直广为传颂。

捕蛇者说

【原文】

永州[1]之野产异蛇：黑质而白章，触草木，尽死。以啮[2]人，无御之者。然得而腊[3]之以为饵[4]，可以已大风挛踠瘘疠[5]，去死肌[6]，杀三虫[7]。其始，大医[8]以王命聚之，岁赋其二。募有能捕之者，当其租入。永之人争奔走焉。

有蒋氏者，专其利三世矣。问之，则曰："吾祖死于是，吾父死于是，今吾嗣为之，十二年，几死者数矣。"言之，貌若甚戚[9]者。

余悲之，且曰："若[10]毒之乎？余将告于莅事者[11]，更若役，复若赋，则何如？"

蒋氏大戚，汪然出涕曰："君将哀而生之乎？则吾斯役之不幸，未若复吾赋不幸之甚也。向吾不为斯役，则久已病矣。自吾氏三世居是乡，积于今，六十岁矣，而乡邻之生日蹙[12]。殚[13]其地之出，竭其庐之入，号呼而转徙[14]，饥渴而顿踣[15]，触风雨，犯寒暑，呼嘘毒疠[16]，往往而死者相藉[17]也。曩与吾祖居者，今其室十无一焉；与吾父居

者，今其室十无二三焉；与吾居十二年者，今其室十无四五焉。非死，则徙尔，而吾以捕蛇独存。悍[18]吏之来吾乡：叫嚣乎东西，隳突[19]乎南北，哗然而骇者，虽鸡狗不得宁焉。吾恂恂而起：视其缶，而吾蛇尚存。则弛然而卧。谨食之，时而献焉。退而甘食其土之有，以尽吾齿。盖一岁之犯死者二焉，其余，则熙熙而乐。岂若吾乡邻之旦旦有是哉。今虽死乎此，比吾乡邻之死，则已后矣。又安敢毒耶！"

余闻而愈悲。孔子曰："苛政猛于虎也。"[20]吾尝疑乎是。今以蒋氏观之，尤[21]信。呜呼！孰知赋敛之毒，有甚是蛇者乎？故为之说，以俟夫观人风者得焉。

【注释】

①永州：今湖南永州市零陵区。

②啮(niè)：咬也。

③腊(xī)：干肉也。

④饵：药饵也。

⑤挛踠：为手足蜷曲之病。瘘：见前《天说》注。疠：恶疮也。麻风也。

⑥死肌：谓死肉，如痈疽之腐烂者。

⑦三虫：谓寄生于人体中之虫。"三虫"二字出道书。

⑧大：同"太"，太医，官名，主医药。

⑨戚(qī)：忧也。

⑩若：你。

⑪莅事者：谓当事之职官。

⑫蹙：迫也。

⑬殚：尽也。
⑭转徙：辗转迁徙。
⑮顿：困顿。踣（bó）：仆倒。
⑯毒疠：疫气。
⑰相藉：相践踏。此句是说死者之多。
⑱悍：凶暴。
⑲隳（huī）：毁坏。突：触。
⑳“苛政猛于虎也”：见《礼记·檀弓》。
㉑尤：通行本作“犹”。犹，尤，虽可通，然以作“尤”为明了。

【译文】

永州的野外出产一种奇异的蛇，（它）黑色的质地、白色的花纹，这种蛇碰过的草木全都干枯而死。如果蛇咬了人，没有能够抵挡蛇毒的办法。然而捉到后把它晾干用来做成药饵，可以用来治愈麻风、手脚蜷曲、脖肿、恶疮，去除坏死的肌肉，杀死人体内的寄生虫。起初，太医用皇帝的命令征集这种蛇，每年征收这种蛇两次，招募有能力捕捉这种蛇的人，抵他的赋税。永州的人都争着去做（捕蛇）这件事。

有个姓蒋的人家，享有这种（捕蛇而不纳税的）好处三代了。我问他，他却说：“我的祖父死在捕蛇这件差事上，我父亲也死在这件事情上。现在我继承祖业干这差事也已十二年了，有好几次险些丧命。”他说这番话时，神情像是很悲伤。

我很同情他，就说：“你怨恨这差事吗？我打算告诉管理政事的地方官，让他更换你的差事，恢复你的赋税，那怎么样？”

蒋氏（听了），更加悲伤，满眼含泪地说：“您是哀怜（我），使我活下去吗？我这差事的不幸，还不如恢复我赋税所要遭受的不幸那么厉害呀。如果我不干这差事，那我早已困苦不堪了。自从我家三代住到这个地方，累计到现在，已经六十年了，可乡邻们的生活一天天地变得窘迫，把他们土地上生产出来的东西都拿去，把他们家里的收入也尽数拿去(交租税仍不够)，只得号啕痛哭辗转逃亡，又饥又渴地倒在地上，(一路上)顶着狂风暴雨，冒着严寒酷暑，呼吸着带毒的疫气，一个接一个死去，常有死人压死人的事情出现。从前和我祖父同住在这里的，现在十户当中剩不下一户了；和我父亲住在一起的人家，现在十户当中只有不到两三户了；和我一起住了十二年的人家，现在十户当中只有不到四五户了。那些人家不是死了就是迁走了。可是我却由于捕蛇这个差事才活了下来。凶暴的官吏来到我乡，到处吵嚷叫嚣，到处骚扰，那种喧闹的样子惊扰了乡间的平静，即使是鸡狗也不得安宁呢！我就小心翼翼地起来，看看我的瓦罐，我的蛇还在，就放心地躺下了。我小心地喂养蛇，到规定的日子把它献上去。回家后有滋有味地吃着田地里出产的东西，来度过我的余年。估计一年当中冒死的情况只是两次，其余时间我都可以快快乐乐地过日子。哪像我的乡邻们天天都在危险之中呢！现在我即使死在这差事上，比起我的乡邻就已经死在(他们)后面了，又怎么敢怨恨(捕蛇这件事)呢？"

我听了(蒋氏的诉说)越听越悲伤。孔子说："严苛的政治比老虎还要凶猛啊！"我曾经怀疑过这句话，现在从蒋氏的遭遇来看，还真是可信的。唉！谁知道搜刮老百姓的毒害比这种毒蛇更厉害呢！所以写了这篇文章，以期待那些(朝廷派遣的)考察民情的人从这里得到它。

【题解】

这是作者在永州时写的一篇寓言。在这篇寓言中，作者借一个没有真实本领的猎人，企图利用“鹿畏貙，貙畏虎，虎畏罴”的外部条件，侥幸去捕获猛兽，结果却被罴吃掉的故事，讽刺了腐败无能的统治者采取的“以藩制藩”的措施；隐喻朝廷在藩镇割据的形势下，不革新朝政，加强 中央政权的实力，而采取“以藩制藩”的做法，其结果不但不能平定藩镇割据势力，反而会招致灭亡。

罴　说

【原文】

鹿畏貙[①]，貙畏虎，虎畏罴。罴之状：被发人立，绝有力而甚害人焉。

楚之南有猎者，能吹竹为百兽之音。昔云：持弓矢，罂火[②]而即之山，为鹿鸣以感其类。伺其至，发火而射之。闻其鹿也，趋而至。其人恐，因为虎而骇之。走而虎至。愈恐，则又为罴。虎亦亡去。罴闻而求其类。至，则人也，捽[③]搏挽裂而食之。

今夫不善内而恃外者，未有不为罴之食也。

【注释】

①貙(chū)：兽名。大如狗，其纹如狸。

②罂(yīng)：小口大肚的瓶子。罂火：藏火于罂中也。

③捽(zuó)：手持也。

【译文】

鹿害怕貙，貙害怕虎，虎又害怕罴。罴的样子，头上披着长毛，能像人一样站立，它的力气大极了，对人的危害非常大。

楚国南部有一个猎人，能够用竹管吹出各种野兽的声音。有一次他悄悄地带着弓箭和用瓦罐装着的火，走到山里。他用竹管模仿着鹿的叫声，把鹿引出来，等鹿走近时，便打开火罐用箭向它射击。貙听见鹿叫声，很快跑过来，猎人害怕，于是吹出虎的叫声吓唬它。貙吓跑后虎又来了，猎人更加害怕，就又吹出罴的叫声，把虎吓跑。罴听见叫声便来寻找它的同类，到那里后发现是个人，就抓住猎人撕成碎片吃掉了。

如今那些不充实自己、只想依靠外力的人，没有不像猎人那样被罴吃掉的。

【题解】

这篇文章记录了唐代京城药商宋清的经营活动与经营思想，是唐代药业的一份珍贵文献。文章从这一角度出发，提出了宋清药铺的经营范围、宋清经营思想的内涵其与中国传统文化的关系、宋清事迹的真实性及典范意义，认为宋清是中国药业的一位伟大药商。文章用简练的语言，将宋清的形象进行了深入的刻画，在记叙事件的同时，采用夹叙夹议的手法，深沉的抒情色彩及人生感慨蕴涵其中，文章在最后一段的议论中，渗透了作者对炎凉世态的剖析，启发人们深层的思考。文章的中心在这里得到了升华，同时还有一定的现实借鉴价值。

宋 清 传

【原文】

宋清，长安西部药市人也。居①善药，有自山泽来者，必归宋清氏。清优主之。长安医工，得清药，辅其方，辄易雠②，咸誉清。疾病疕疡③者，亦皆乐就清求药，冀④速已。清皆乐然响应。虽不持钱者，皆与善药。积券如山，未尝诣取直。或不识，遥与券，清不为辞。岁终，度不能报，辄焚券，终不复言。

市人以其异，皆笑之曰："清，蚩⑤妄人也。"或曰："清其有道者欤！"

清闻之曰："清，逐利以活妻子耳，非有道也。然谓我蚩妄者，亦谬。"

清居药四十年，所焚券者百数十人。或至大官，或连数州，受俸博，其馈遗清者相属于户；虽不能立报，而以赊死者千百，不害清之为富也。清之取利远。远，故大。岂若小市人哉，一不得直，则怫然[6]怒，再则骂而仇耳，彼之为利，不亦翦翦[7]乎，吾见蚩之有在也。

清诚以是得大利，又不为妄。执其道不废，卒以富。求者益众，其应益广。或斥弃沉废，亲与交视之落然者，清不以怠遇其人，必与善药如故。一旦复柄用，益厚报清。其远取利皆类此。

吾观今之交乎人者，炎而附，寒而弃，鲜有能类清之为者。世之言，徒曰市道交[8]。呜呼！清，市人也，今之交，有能望报如清之远者乎。幸而庶几，则天下之穷困废辱，得不死亡者众矣。

柳先生曰："清居市不为市之道，然而居朝廷，居官府，居庠塾[9]乡党，以士大夫自名者，反争为之不已，悲夫！然则清非独异于市人也。"

【注释】

①居：积蓄。

②雠：出售。《史记》：方尽多不雠。

③疕（bǐ）：头疮。疡（yǎng）：身疮。

④冀：希望。

⑤蚩：无知识。

⑥怫然：怒貌。

⑦翦翦：短浅貌。此谓所见不远，获利不多也。

⑧市道交：谓市井交易之道，重利而忘义也。

⑨庠塾：古学校之名。《礼学记》：古之教者，家有塾，党有庠。

【译文】

宋清是在长安西部药市的商人，储藏了许多好的药材。有从山地、湖河等地来的药农，一定要把药送到宋清的药店让他去卖，宋清总是好好地招待他们。长安的医生用宋清那里的良药来辅助配合药方，往往卖得很好，所以他们都称赞宋清。有生各种疮病的人，也都爱去宋清开的药店买药，希望能够迅速康复。宋清总是很热情地接待客人，尽管有的人没有带钱，宋清也会把良药先赊给他们，欠钱债券就在家里积攒了很多，像山一样，上门索取药钱的事情他从来不做。有些素不相识的人，从很远的地方来打欠条买药，宋清也不拒绝他们。每到年末的时候，估计账是没法还上了，他就把债券全部烧光，再也不说这些事情。

其他的商人都觉得宋清的这种举动很是令人费解，就嘲讽他："宋清是个蠢人。"同时也有人认为："宋清大概是那种有高尚道德的人吧！"

宋清听了这些议论，说："我经商赚钱养活妻子和儿女，道德高尚还谈不上；但要说我是蠢人，也是不对的。"

宋清从事卖药的生意四十年，焚烧的债券有一百多人的，其中有后来做大官的，有管辖州郡的，享受着丰厚的俸禄待遇，他们派的为宋清送礼物的人，一个接一个快把门槛都踏破了。尽管有些人当时没有足够的钱去偿还药费，甚至赊欠至死的也有上千人，但是这些都没有阻碍宋清最终成为一个富翁。宋清获得的利益并不是立竿见影的，正是因为他经过了长时间的等待，因此才有巨大的收益。哪里像那些眼光短浅的小商人呢？那些目光短浅的人只要有一次没有拿到药钱，立即就会勃然大怒，第二次就会破口大骂结成仇敌。这些小的商人唯利是图，心胸不也太狭隘了吗？在他们的身上，我才真正看到了愚人傻瓜的样子。

宋清凭借着诚实守信最终得到了巨大的利益，从不胡乱做事，始终如一地坚守着自己的经商之道，最终得以致富。需要购买药的人越多，他满足别人需求的面也就越广。遇到遭到贬谪的官员，他也同样地以诚相待；遇到生活极其贫困的，宋清也同样地热情接待，及时地给予良药。受到他恩惠的人，来日只要重新获得重用，就会更加优厚地报答宋清。宋清有长远的赚钱眼光，和上面讲的都是一样的。

我观察现今人与人之间的交往，大都依附得势的人、抛弃贫寒的人，很少能像宋清这样子。世俗的人们只讲“市侩手段之下的交往”。唉！宋清只是一个普通的商人，而今天的人们与人交往都要求回报，有像宋清这样具有长远目光的吗？假如有人能够像宋清一样，那么天下穷困潦倒的人能够免于死亡的就会很多了。

柳先生说：“宋清作为商人却不去运用那些市侩的手段，而那些居庙堂之高或者待在官衙和学校，以士大夫自居的人，反而争先恐后地去使用那些市侩的手段，真是让人感到可悲可叹啊！如此说来，宋清并不只是有别于一般的商人了。”

【题解】

《种树郭橐驼传》是一篇兼具寓言和政论色彩的传记文。文章通过对郭橐驼种树之道的记叙，说明"顺木之天，以致其性"是"养树"的法则，并由此推论出"养人"的道理，指出为官治民不能"好烦其令"，指责中唐吏治扰民、伤民的行为，反映出作者同情人民的思想和改革弊政的愿望。这种借传立说、因事出论的写法，别开生面。文章先以种植的当与不当做对比，继以管理的善与不善做对比，最后以吏治与种树相映照，在反复比照中导出题旨，阐明事理。文中描写郭橐驼的体貌特征，寥寥几笔，形象而生动；记述郭橐驼的答话，庄谐杂出，语精而意丰。全文以记言为主，记言中穿插描写，错落有致，引人入胜。

种树郭橐驼传[①]

【原文】

郭橐，不知始何名。病偻[②]，隆然伏行[③]，有类橐者，故乡人号之。闻之，曰："甚善！名我固当。"因舍其名，亦自谓橐云。其乡曰丰乐乡，在长安西。业种树，凡长安豪富人为观游[④]，及卖果[⑤]者，皆争迎取养[⑥]。视所种树，或移徙，无不活。且硕[⑦]茂蚤[⑧]实以蕃。他植者虽窥伺效慕，莫能如也。

有问之，对曰："橐非能使木寿且孳也，能顺木之天以致其性焉尔。凡植木之性：其本欲舒，其培欲平，其土欲故[⑨]，其筑欲密。既然已，勿动，勿虑，去不复顾。其莳[⑩]也若子，其置也若弃。则其天者全，而其性得矣。故吾不

害其长而已，非有能硕茂之也。不抑耗其实而已，非有能蚤而蕃之也。他植者则不然。根拳而土易。其培之也，若不过焉，则不及。苟有能反是者，则又爱之太恩，忧之太勤，旦视而暮抚，已去而复顾。甚者爪其肤以验其生枯，摇其本以观其疏密。而木之性日以离矣。虽曰爱之，其实害之；虽曰忧之，其实仇之。故不我若也。吾又何能为哉？”

问者曰：“以子之道，移之官理，可乎”。曰：“我知种树而已，理，非吾业也。然吾居乡，见长人者好烦其令，若甚怜焉，而卒以祸。旦暮，吏来而呼曰：‘官命促尔耕，勖⑪尔植，督尔获⑫，蚤缫⑬而⑭绪⑮，蚤织而缕，字⑯而幼孩，遂而鸡豚。’鸣鼓而聚之，击木而召之。吾小人辍飧饔⑰以劳吏者且不得暇，又何以蕃吾生而安吾性耶。故病且怠若是。则与吾业者其亦有类乎。”

问者嘻曰：“不亦善夫！吾问养树，得养人术。”传其事以为官戒。

【注释】

①橐：今通写作“骆驼”。兽名，背有肉隆起，状甚丑。种树者郭姓，貌类骆驼，故人称为郭骆驼也。

②偻(lóu)：背曲也。

③伏行：谓伏地而行也。

④为观游：谓种树以供赏玩也。

⑤卖果：谓种树采果以谋生也。

⑥争迎取养：谓迎郭橐于家而养之也。

⑦硕：大也。

⑧蚤：同“早”。

⑨故：旧也。

⑩莳：分种也。

⑪勖：勉也。

⑫获(huǒ)：刈谷也。

⑬缫(shāo)：抽茧出丝也。

⑭而：汝也。

⑮绪：丝之端。

⑯字：乳子也。

⑰朝食曰饔，夕食曰飧。辍飧饔：谓朝夕不暇食。

【译文】

郭橐驼，不知道他起初叫什么名字。他患了脊背弯曲的病，脊背突起而弯腰行走，就像骆驼一样，所以乡里人称他“橐驼”。橐驼听说后，说：“这个名字很好啊，这样称呼我确实恰当。”于是他舍弃了他原来的名字，也自称起“橐驼”来。

他的家乡丰乐乡，在长安城西边。郭橐驼以种树为职业，凡是长安城里的从事园林游览和做水果买卖的富豪人家，都争着迎接他，雇佣他。观察橐驼种的树，即使是移植来的，也没有不成活的。他种的那些树长得高大茂盛，结果实早而且多。其他种树的人即使暗中观察，羡慕效仿，也没有谁能比得上。

有人问他种树种得好的原因，他回答说：“橐驼我不是能够使树木活得长久而且长得很快，只不过是能够顺应树木的天性，来实现其自身的习性罢了。但凡种树的方法，它的树根要舒展，它的培土要平匀，它根下的土要用原来培育树苗的土，它捣土要结实。已经这样做了，就不要再动，不要再忧虑它，离开它不再回顾。栽种时要像对待孩子一样细心，栽好后置于一旁要像抛弃了它们一样，那么树木的天性就得以保全，它的习性就得以实现。所以我只不过不妨害它的生长罢了，并不是有能使它长得高大茂盛的办法。只不过不抑制、减少它的结果罢了，也并不是有能使它果实结得早又多的办法。别的种树人却不是这样，树根蜷曲又换了生土；他培土的时候，不是过紧就是太松。如果有能够和这种做法相反的人，就又太过于吝惜它们了，在早晨去看了，在晚上又去摸摸，已经离开了，又回头去看看。更严重的是，掐破树皮来观察它是死是活着，摇晃树干来看它是否栽结实了，这样树木的天性就一天天远去了。虽然说是喜爱它，这实际上是害了它；虽说是担心它，这实际上是仇恨它。所以他们都不如我。我又能做什么呢？”

问的人说：“把你种树的方法，转用到做官治民上，可行吗？”橐驼说：“我只知道种树罢了，做官治民，不是我的职业。但是我住在乡里，看见那些官吏喜欢不断地发号施令，好像是很怜爱（百姓）啊，但百姓最终却受到祸害。在早上在晚上那些小吏跑来大喊：‘长官命令：催促你们耕地，勉励你们种植，督促你们收获，早些煮茧抽丝，早些织你们的布，养育你们的小孩，喂大你们的鸡和猪。’一会儿打鼓招聚大家，一会儿鼓梆召集大家，我们这些小百姓停止吃早、晚饭去慰劳那些小吏尚且不得空暇，又怎能使我们繁衍生息，民心安定呢？所以我们既困苦又疲乏，像这样（治民反而扰民），它与我种树的行当大概也有相似的地方吧？”

问的人笑着说：“不也是很好嘛！我问种树的方法，得到了治民的方法。”我记录这件事把它作为官吏们的警戒。

【题解】

这是一篇传记文学作品，写了一个真实的故事：儿童区寄被两个强盗劫持后，凭着自己的勇敢机智，终于手刃二盗，保全了自己。作者抓住人物的性格特征，从不同角度、不同侧面刻画出一个勇敢机智、不畏强暴而又纯朴憨厚的少年英雄形象。

童区寄传[①]

【原文】

柳先生曰：越[②]人少恩，生男女，必货视之。自毁齿[③]已[④]上，父兄鬻卖以觊[⑤]其利。不足，则盗取他室束缚钳梏[⑦]之，至有须鬣[⑧]者。力不胜，皆屈为童。当道相贼杀以为俗。幸得壮大，则缚取么弱[⑨]者。汉官[⑩]因为己利，苟得童，恣所为，不问。以是越中户口滋耗[⑪]，少得自脱。惟童区寄以十一岁胜，斯亦奇矣。

桂部从事杜周士[⑫]为余言之。童寄者，郴州[⑬]荛牧[⑭]儿也。行牧且荛，二豪贼劫持反接，布囊其口，去逾四十里之虚所[⑮]卖之。寄伪儿啼恐栗，为儿恒状。贼易之。对饮酒，醉。一人去为市，一人卧，植刃道上。童微伺其睡，以缚背刃，力下上，得绝。因取刃杀之。逃。未及远，市者还，得童，大骇，将杀童。遽曰："为两郎[⑯]童，孰若为一郎童耶！彼不我恩也。郎诚见完与恩，无所不可。"市者良久，计曰："与其杀是童，孰若卖之。与其卖而分，孰若吾得专焉。幸而杀彼，甚善。"即藏其尸，持童抵主人

所。愈束缚，牢甚。夜半，童自转，以缚即炉火烧绝之。虽疮手勿惮。复取刃杀市者。因大号。一虚皆惊。童曰："我区氏儿也，不当为童。贼二人得我，我幸皆杀之矣。愿以闻于官。"虚吏白州，州白大府，大府召视，儿幼愿[17]耳。刺史颜证[18]奇之，留为小吏，不肯。与衣裳，吏护还之乡。乡之行劫缚者，侧目莫敢过其门。皆曰："是儿少秦武阳[19]二岁，而讨杀二豪，岂可近耶！"

【注释】

①童：谓童子。区(ōu)寄：姓区名寄。

②越：同"粤"。今江、浙、闽、两广之地，古统谓之"百粤"。

③毁齿：八岁曰毁齿。《白虎通》：八岁毁齿，始有知识。

④已：同"以"。

⑤觊：冀望也。

⑥钳：古刑具，如铁链，所以束颈者。

⑦梏：古刑具，以木为之，加于手上。

⑧鬣：长须也。

⑨么弱：小弱也。

⑩汉官：谓汉人所设之官，以治夷人者也。

⑪耗：少也。

⑫杜周士于元和中为桂管从事。从事：官名。唐时广、桂、容、邕、安南，皆属广府，谓之岭南五管。

⑬郴：郴州，在湖南。

⑭荛(ráo)：采薪。牧：牧牲畜。

⑮虚：通"墟"。墟所：集市。

⑯郎：为称谓。此处对盗而言。

⑰愿：谨慎。

⑱颜证：颜杲卿之孙。时为桂管刺史观察史。

⑲秦武阳：战国人，十三岁能杀人，随荆轲前往秦国刺杀秦王。

【译文】

柳先生说，越地的百姓寡恩薄情，不论生下男孩女孩，都当作货物一样看待。孩子长到七八岁以上，父兄就贪图钱财把孩子卖掉。如果还不满足，就劫取别人家的孩子，捆绑和套上枷锁。甚至有长了胡须的成年人，因力气敌不过人家，都屈服地当了奴仆。在路上互相残杀，已形成风气。如侥幸不被人掠卖，长大之后就去绑架弱小的人。汉族官吏借此为自己谋取私利，如果能够得到廉价的僮仆，就听任这些人胡作非为而不加过问。因此，越地一带人口日益减少。很少有人能够免遭劫掠，只有十一岁的幼童区寄胜过劫持他的人，这也算很稀奇了。

这件事是桂部从事杜周士对我说的。儿童区寄，是郴州地区打柴放牛的孩子。一天，他正一边放牛一边打柴，有两个蛮横的强盗把他绑架了，反背着手捆起来，用布蒙住他的嘴，离开本乡四十多里地，想到集市上把他卖掉。区寄装作小孩儿似的哭哭啼啼，害怕得发抖，做出一副孩子常有的胆小样子。强盗并不把他放在心上，他们相对喝酒，很快喝醉了。其中一个强盗离开前去集市谈买卖孩子的生意，另一个躺下来，把刀插在路上。区寄暗暗看他睡着了，就把捆绑自己的绳子靠在刀刃上，用力地上下磨动，绳子断了；便拿起刀杀死了那个强盗。区寄逃出去没多远，那个上集市谈买卖的强盗回来了，抓住区寄，非常惊恐，打算要杀掉他。区寄急忙说：“做两个主人的奴仆，哪里比得上做一个主人的奴仆呢？他不好好待我，主子你如果能保全我的性命并好好待我，无论怎么样都可以。"强盗盘算了很久，心想："杀死这个奴仆，哪里比得上把他卖掉呢？与其卖掉他后两个人分钱，哪里比得上我一个人独吞呢？幸亏杀掉了他(被杀的强盗)，好极了！"于是把同伙的尸体藏起来，带着区寄到一家旅店。他越发把区寄捆绑得结实。到了半夜，区寄自己转过身来，把捆绑的绳子就着炉火烧断了，虽然烧伤了手也不怕；又拿过刀来杀掉了做买卖的强盗。然后大声呼喊，整个集市都惊动了。区寄说："我是姓区人家的孩子，不该做奴仆。两个强盗绑架了我，幸好我把他们都杀了，我愿把这件事报告官府。"管理集市的官吏把这件事报告了州官，州官又报告给府官。府官召见了区寄，不过是个幼稚老实的孩子。刺史颜证认为他很了不起，便留他做小吏，区寄不愿意。刺史于是送给他衣裳，派官吏护送他回到家乡。乡里干抢劫勾当的强盗，都斜着眼睛不敢正视区寄，没有哪一个敢经过他的家门，都说："这个孩子比秦武阳小两岁，却用计谋杀死了两个豪贼，怎么可以靠近他呢？"

【题解】

梓人指木工、建筑工匠。本文讲述了有木匠来敲翡封叔家宅的门，希望租间空屋子居住，用替屋主人服役来代替房租的故事。作者通过一个梓人"善度材""善用众工"的故事，生动形象而又合理自然地阐明了当宰相治理国家的道理。"择天下之士，使称其职"。梓人的"其不胜任者，怒而退之，亦莫敢愠焉"，与宰相的"能者进而由之，使无所德。不能者退而休之，亦莫敢愠"，异曲同工！文中引用孟子"劳心者治人，劳力者治于人"来说明人们的社会分工不同，各司其职，有现实积极意义。

梓　人　传[①]

【原文】

裴封叔[②]之第，在光德里。有梓人款[③]其门，愿佣隙[④]宇而处焉。

所职，寻、引[⑤]、规、矩、绳、墨。家不居砻斫之器。问其能，曰："吾善度材。视栋宇之制，高深圆方短长之宜，吾指使而群工役焉。舍我，众莫能就一宇。故食于官府，吾受禄三倍；作于私家，吾收其直太半焉。"

他日，入其室，其床阙足而不能理。曰："将求他工。"余甚笑之，谓其无能而贪禄嗜货者。

其后京兆尹将饰官署，余往过焉。委群材，会众工，或执斧斤，或执刀踞，皆环立向之。梓人左持引，右执杖而中处焉。量栋宇之任，视木之能。举挥其杖曰："斧！"

彼执斧者奔而右。顾而指曰:"锯!"彼执锯者趋而左。俄而斤者斫,刀者削,皆视其色,俟其言,莫敢自断者。其不胜任者,怒而退之,亦莫敢愠焉。画宫于堵[6],盈尺,而曲尽其制,计其毫厘而构大厦,无进退焉。既成,书于上栋[7]曰:"某年某月某日某建。"则其姓字也。凡执用之工不在列。余圜视[8]大骇,然后知其术之工大矣。

继而叹曰:彼将舍其手艺,专其心智,而能知体要者欤!吾闻劳心者役人,劳力者役于人,彼其劳心者欤!能者用而智者谋,彼其智者欤!是足为佐天子,相天下法矣。物莫近乎此也。彼为天下者本于人。其执役者为徒隶[9],为乡师,里胥[10]。其上为下士[11],又其上为中士,为上士。又其上为大夫,为卿,为公。离而为六职[12],判而为百役。外薄[13]四海,有方伯[14],连率[15],郡有守[16],邑有宰[17],皆有佐政[18]。其下有胥吏[19],又其下皆有啬夫[20],版尹[21]以就役焉。犹众工之各有执伎以食力也。彼佐天子,相天下者,举而加焉,指而使焉,条其纲纪而盈缩焉,齐其法制而整顿焉。犹梓人之有规矩绳墨以定制也。择天下之士,使称其职,居天下之人,使安其业,视都知野,视野知国,视国知天下,其远迩细大,可手据其图而究焉。犹梓人画宫于堵而绩于成也。能者进而由之,使无所德,不能者退而休之,亦莫敢愠,不炫能,不矜名,不亲小劳,不侵众官,日与天下之英才,讨论其大经。犹梓人之善运众工而不伐艺也。夫然后相道得而万国理矣。相道既得,万国既理,天下举首而望曰:"吾相之功也。"后之人循迹而慕曰:"彼相之才也。"士或谈殷、周之理者曰伊、傅、周、召[22]，其百执事之勤劳而不得纪焉。犹梓人自名其功，而执用者不列也。大哉相乎！通是道者，所谓相而已矣。其不知体要者反此。以恪勤为公，以簿书[23]为尊，炫能矜名，亲小劳，侵众官，窃取六职，百役之事，听听[24]于府庭，而遗其大者远者焉，所谓不通是道者也。犹梓人而不知绳墨之曲直，规矩之方圆，寻引之短长，姑夺众工之斧斤刀锯以佐其艺，又不能备其工，以之败绩，用而无所成也。不亦谬欤！”

或曰：“彼主为室者，傥或发其私智，牵制梓人之虑，夺其世守，而道谋[25]是用。虽不能成功，岂其罪耶。亦在任之而已。”

余曰：“不然。夫绳墨诚陈，规矩诚设，高者不可抑而下也，狭者不可张而广也。由我则固，不由我则圮，彼将乐去固而就圮也，则卷[26]其术，默其智，悠尔而去，不屈吾道，是诚良梓人耳。其或嗜其货利，忍而不能舍也，丧其制量，屈而不能守也，栋桡屋坏，则曰：‘非我罪也。’可乎哉！可乎哉！”

余谓梓人之道类于相，故书而藏之。梓人，盖古之审曲面势者，今谓之“都料匠”云。余所遇者杨氏，潜其名。

【注释】

①梓人：工木之工，俗谓木匠。

②裴封叔：名瑾。子厚之姊夫。

③款：叩。

④佣：谓“赁”。隟：同“隙”。

⑤寻、引:所以度长短之器。八尺曰“寻”,十丈曰“引”。
⑥堵:墙垣。此谓画宫室之图于墙壁上。
⑦上栋:梁。
⑧圜:与“环”通。圜视:犹言四顾。
⑨徒隶:供徭役者。
⑩乡师:谓一乡之长。里胥:谓一里之长。
⑪三代时,官职以卿相、大夫、士三者为等级,而士又分上中下三级。
⑫六职:见《周礼·考工记》。六职者,王公、士大夫、百工、商旅、农夫、妇功也。
⑬薄:被也。
⑭方伯:一方诸侯之长。
⑮连率:亦作“连帅”。十国诸侯之长。古者十国为连,连有帅。
⑯守:一郡之长官。
⑰宰:一邑之长官。
⑱佐政:谓辅助之官。
⑲胥吏:公家所用掌理案牍之吏。
⑳啬夫:掌听讼收赋税之吏。
㉑版尹:掌户口版图之吏。
㉒伊:伊尹。傅:傅说。周:周公。召:召公。
㉓簿书:钱谷出纳之簿籍也。此处谓躬亲其事也。
㉔听听:笑貌。
㉕道谋:见《诗经·小雅·小旻》,“如彼筑室于道谋,是用不溃于成。”谓筑室谋于道路之人,而事不能成也。
㉖卷:谓“藏”也。

【译文】

裴封叔的家宅在光德里。有位木匠敲他的门,希望租间空屋子居住,用替屋主人服役的方式来代替房租。

他所执掌的是些度量长短,规划方圆和校正曲直的工具,家里却没有木工用的磨砺和砍削的器具。问他有什么技能,他说:"我善于计算,测量木材。观看房屋的式样、高深、圆方、短长的适合不适合;我指挥驱使,而由众工匠去干。离了我,大家就不能建成一栋房子。所以被官府供养,我得到的俸禄比别人多三倍;在私人家里干活,我得到全部报酬的一大半。"

一天,我进了他的住屋。他的床缺了腿却不修理,说:"将要请别的工匠来修理。"我耻笑他,说他是没有才能却贪图俸禄、喜爱钱财的人。

后来,京兆伊将要修饰官衙的房屋,我到过那里。(在那里)蓄积了大量木材,招集了许多工匠。有的拿着斧斤,有的拿着刀锯,都围成一圈站着,面朝着(那位)木匠。木匠左手拿着长尺,右手拿着木杖,站在中间。他衡量房屋的规格,察看木料的性能酌情选用。挥动他的木杖说:"用斧子砍!"那拿斧子的就跑到右边去砍;回头指着木材说:"用锯子锯!"那拿锯的就跑到左边去锯。不一会,拿斧子的砍,拿刀的削,全都看他的脸色,等待他的发话,没有一个敢自做主张的。那些不能胜任的人,被他愤怒地斥退了,也不敢有一点怨恨。他在墙上绘了官署房子的图样,刚满一尺大小的图样却细致详尽地画出了它的建筑构造。按照图上微小的尺寸计算,建造起的高楼大厦,没有一点误差的地方。建成后,在梁上写道:某年某月某日某某修建,原来是他的姓名,凡是被他役使的工匠都不在上面列名。我围绕着一看,感到非常惊讶,然后我才知道他技术的精湛和伟大啊!

接着我就感叹地说：他大概是放弃了他的手艺，专门使用他的思想智慧，能知道全局要领的人吧！我听说“劳心的人役使别人，劳力的人被别人役使”；他大概是劳心的人吧！有一般技艺的人出力劳动，有才智的人出谋划策，他大概是有才智的人吧！这完全可以被辅佐天子，做天下宰相的人所效法学习的呀！事情没有比这再相似的了。

那辅佐天子、做天下宰相的人，推荐人才，委任职责，发出命令，指派任务，整顿纲纪，进行增减，统一法治。这就好像梓人有正方圆和定曲直的工具而绘制出图样似的。选择天下的官吏，使他们适合自己的职务；安置天下的老百姓，使他们安居乐业。看了京都就了解了乡野，看了乡野就了解了各地，看了各地就了解了整个天下。那些远近大小的国事，可以根据手中的图本来研究、了解。这就好像梓人在墙上绘画房屋草图然后照着它建造房屋而完成工程一样。宰相把有才能的人提拔上来，并充分发挥他的本领，使他不必对任何人感恩戴德；把没有才能的人辞退，让他休息，他也不敢恼恨。不夸耀自己的才能，不自尊自大，虚图功名，不亲自去做那些微小琐碎的事情，不干涉众官的工作，每天和天下的杰出的人才一起讨论治理国家的根本之道。这就像梓人善于运用众工匠而不自夸手艺一样。只有这样才算懂得做宰相的道理，全国各地才得到了治理。做宰相的方法真正掌握好了，全国各地真正治理好了，天下的人就会抬头仰望着说：“这是我们宰相的功劳啊！”后人也会根据史书记载的事迹说：“这是那个宰相的才能啊！”那些不知道全局要领的人却与此相反。（他们）以谨小慎微，忙忙碌碌为大事，以抄写官署中的文书、薄册为重责，夸耀自己的才能，自尊自大，亲自去做那些微小琐碎的事情，干涉众官的工作，侵夺部下官吏应做的事拿来自己做，并洋洋得意地在相府夸耀自己，却丢掉了那些重大的、长远的事情。这是所说的不懂得做宰相的道理的人。这就像梓人不懂得绳墨可正曲直，规矩可画方圆，寻引可量短长，暂且夺取工匠们的斧子刀锯来帮助他们发挥技艺，却又不能完成他们的工作，以至于事情失败，使用了（他们）却没有成功一样。这不也是错误的吗？

有人说："如果房子的主人，依凭他的知识，而干涉木匠师傅的规划，不采用师傅世代相传的悠久经验，导致房子垮了，难道是木匠师傅的过错吗？那是因为主人不信任木工师傅呀！"

我说："不是这样！因为绳子、墨汁、圆规和尺的测量都很明确，高的地方不能随意变低，狭小的不能随意扩大。如果按照我的计划，房子就很坚固，反之不按照我的设计图，房子就会倾倒。如果主人甘于房舍不坚而易坍塌，木匠师傅只好带着自己的技术和智慧，欣然离去。坚持自己的主张，不妥协，这才是真正的好木匠师傅呀！反之，如果贪图钱财，容忍主人的干涉，不愿意离去，不坚持房子的建筑原则，有一天，柱住或横梁歪了，房子倾倒了，木匠师傅就推卸说：'这不是我的过错呀！'可以这样吗？可以这样吗？"

我认为：因为木匠师傅之道与宰相之道很类似，所以特别写下来，然后收藏起来。在古代，木匠师傅又被称为"审曲面势"的人，在今天，则被称为"监督建筑之人"。我所遇到的这位木匠师傅姓杨，隐去了他的名字。

【题解】

这是一篇寓言作品，创作于柳宗元贬官永州时期。永州十年，柳宗元生活环境恶劣，亲朋好友离散，四处求援无门，身体状况下降，精神世界痛苦，于是他写下这篇《蝜蝂传》，为的就是要冲破这恶劣的物质环境，冲破这苦闷的精神世界，要对着周围令人窒息的环境，对着自己不公平的命运发出愤怒的呐喊。文章先描写小虫蝜蝂的生态，突出善负物、喜爬高的两个特性；然后笔锋一转，将"今世之嗜取者"与蝜蝂做比较描写，刻画出他们聚敛资财、贪婪成性、好往上爬、至死不悟的丑态，批判的矛头直指当时的腐败官场。全文前后两部分相互对应，意理连贯，内在逻辑十分严密，将小虫和官僚的形象淋漓尽致地揭示出来，用语精警，立意深刻。

蝜　蝂　传[①]

【原文】

蝜蝂者，善负小虫也。行遇物，辄持取，卬[②]其首，负之。背愈重，虽困剧不止也。其背甚涩[③]，物积，因不散。卒踬仆[④]，不能起。人或怜之，为去其负。苟能行，又持取如故。又好上高，极其力不已，至坠地死。

今世之嗜取者，遇货不避，以厚其室，不知为己累也。唯恐其不积。及其怠而踬也，黜弃之，迁徙之，亦以病矣。苟能起，又不艾[⑤]。日思高其位，大其禄，而贪取滋甚，以近于危坠。观前之死亡不知戒。虽其形魁然[⑥]大者也，其名人也，而智则小虫也。亦足哀夫！

【注释】

①蝜蝂(fù bǎn):虫名。子厚此文,盖为寓言。

②卬:同“仰”。

③涩:凝滞不滑。

④踬(zhì):有所阻碍而颠仆。仆(pū),向前倒。

⑤艾:停止。

⑥魁然:高大貌。

【译文】

蝜蝂是一种善于背东西的小虫。它在爬行中遇到东西,就抓取过来,仰起头背着它们。背负的东西越来越重,即使非常疲乏劳累也不停止。它的背很粗糙,因而物体堆积不会散落,它最终被压倒爬不起来。有时人们可怜它,替它除去背上的物体。可是如果它还能爬行,就会像原先一样抓取物体。它又喜欢往高处爬,用尽了力气也不停止,直至跌落到地上摔死。

如今世上那些贪得无厌的人,见到钱财就不放过,以此来增加他们的家产,但他们却不知道财货会成为自己的累赘,只担心财富积聚得不够多。等到他们坏了事栽了跟头,有的被贬斥罢官,有的被流放到边远地区,这也够痛苦的了。一旦再被起用,他们仍不肯悔改,成天想着提高自己的官位,增加自己的俸禄,变本加厉地贪取钱财,因而面临着从高处摔下来的危险,看到前人由于极力求官贪财而自取灭亡也不知引以为戒。即使他们的外形看起来庞大,他们的名义上是人,可是智慧却和蝜蝂小虫一样。这也太可悲了!

【题解】

这一组三篇寓言，是作者贬谪永州时所写。题名“三戒”，可能是取《论语》“君子有三戒”之意。文前的小序，已经点明了文章的主旨之所在。作者借麋、驴、鼠三种动物的可悲结局，对社会上那些倚仗人势、色厉内荏、擅威作福的人进行辛辣的讽刺，在当时很有现实的针对性和普遍意义。三篇寓言主题统一而又各自独立，形象生动而又寓意深刻，篇幅短小，语言简练而又刻画细致、传神，在艺术上达到了很高的境界。

三　戒

吾恒恶世之人，不知推己之本，而乘物以逞，或依势以干非其类，出技以怒强，窃时以肆暴，然卒迨于祸。有客谈麋[①]、驴、鼠三物，似其事，作《三戒》。

临江之麋[②]

【原文】

临江之人畋[③]，得麋麑[④]。畜之。入门，群犬垂涎，扬尾皆来。其人怒，怛[⑤]之。自是日抱就犬，习示之，使勿动。稍使与之戏。

积久，犬皆如人意。麑稍大，忘己之麋也，以为犬良我友，抵触偃仆，益狎。犬畏主人，与之俯仰甚善。然时啖[⑥]其舌。

三年，麋出门外，见外犬在道甚众，走欲与为戏。外

犬见而喜且怒，共杀食之，狼藉[7]道上。麋至死不悟。

黔之驴[8]

【原文】

黔无驴。有好事者船载以入。至，则无可用。放之山下。虎见之，尨[9]然大物也，以为神。蔽林间窥之。稍出近之，慭慭[10]然莫相知。

他日，驴一鸣，虎大骇。远遁，以为且噬己也。甚恐。然往来视之，觉无异能者。益习其声。又近出前后，终不敢搏。稍近，益狎。荡倚冲冒。驴不胜怒，蹄之[11]。虎因喜，计之曰："技止此耳！"因跳踉[12]大㘎[13]，断其喉，尽其肉，乃去。

噫！形之尨也类有德，声之宏也类有能，向不出其技，虎虽猛，疑畏卒不敢取。今若是焉，悲夫！

永某氏之鼠[14]

【原文】

永有某氏者，畏日[15]，拘忌异甚。以为己生岁直子，鼠，子神也，因爱鼠。不畜猫犬，禁童勿击鼠。仓廪庖厨，悉以恣鼠，不问。

由是鼠相告，皆来某氏，饱食而无祸。某氏室无完器，椸[16]无完衣，饮食大率鼠之余也。昼累累[17]与人兼行，夜则窃啮斗暴，其声万状，不可以寝。终不厌。

数岁，某氏徙居他州。后人来居，鼠为态如故。其人曰："是阴类恶物也。盗暴尤甚。且何以至是乎哉！"

假五六猫，阖门，撤瓦灌穴[18]，购童罗捕之。杀鼠如丘，弃之隐处，臭数月乃已。

呜呼！彼以其饱食无祸为可恒也哉！

【注释】

①麋：似鹿而大。

②临江：唐县名。今江西樟树市西南。

③畋(tián)：田猎也。

④麑(ní)：鹿子。

⑤怛(dá)：悼，此谓悼痛麋麑。

⑥啖(dàn)其舌：谓犬自舔其舌，而不敢咬麋麑。

⑦狼藉：散乱。

⑧黔(qián)：今贵州省境。

⑨龙(páng)然：龙，通“庞”，大貌。

⑩慭慭(yìn)：敬谨貌。

⑪蹄：做动词用，谓驴以蹄踢虎也。

⑫跳踉：足乱动貌。

⑬啖(dàn)：食也。

⑭永：谓永州，今湖南永州市零陵区。

⑮畏日：畏犯“日忌”。

⑯椸(yí)：衣架。

⑰累累：相连属之貌。

⑱撤瓦：谓除去屋瓦。灌穴：谓注水于穴。皆所以捕鼠也。

【译文】

我一直厌恶世上的有些人，不知道考虑自己的实际能力，而只是凭借外力来逞强;或者依仗势力和自己不同的人打交道,使出伎俩来激怒比他强的对象,趁机胡作非为,但最后却招致了灾祸。有位客人同我谈起麋、驴、鼠三种动物的结局,我觉得它们与那些人的情形差不多,于是就做了这篇《三戒》。

临江之麋

临江有个人出去打猎,得到一只幼麋,就捉回家把它饲养起来。刚踏进家门,群狗一见,嘴边都流出了口水,摇着尾巴,纷纷聚拢过来。猎人大怒,把群狗吓退。从此猎人每天抱着幼麋与狗接近,让狗看着习惯,不去伤害幼麋,并逐渐使狗和幼麋一起游戏。

经过了好长一段时间,狗都能听从人的意旨了。幼麋稍微长大后,却忘记了自己是麋类,以为狗是它真正的伙伴,开始和狗嬉戏,显得十分亲昵。狗因为害怕主人,也就很驯顺地和幼麋玩耍,可是又不时舔着自己的舌头,露出馋相。

这样过了三年,一次麋独自出门,见路上有许多不相识的狗,就跑过去与它们一起嬉戏。这些狗一见麋,又高兴又恼怒,共同把它吃了,骨头撒了一路。但麋至死都没有觉悟到这是怎么回事。

黔之驴

黔地没有驴子,喜欢多事的人就用船把驴运了进去。运到以后,发现驴子没有什么用处,就把它放到山下。老虎看到驴子那巨大的身躯,以为是神仙。它就躲到树林间暗中偷偷地看,一会儿又稍稍走近观察,小心翼翼,但最终还是识不透驴子是什么东西。

一天,驴子大叫一声,老虎非常害怕,远远地躲起来,以为驴子要咬自己,极为恐惧。然而它来回观察驴子的样子,觉得它并没有什么特别的本领。后来老虎更听惯了驴子的叫声,再走近驴子,在它周围徘徊,但最终还是不敢上前拼搏。接着,它又稍稍走近驴子,碰撞、靠近、冲击、冒犯它，驴子忍不住大怒，就用蹄子来踢老虎。老虎见了大喜，心中盘算道：“本领不过如此罢了。”于是老虎腾跃怒吼起来，上去咬断了驴子的喉管，吃尽了驴子的肉，然后离去。

唉！驴子形体庞大，好像很有法道，声音洪亮，好像很有本领，假使不暴露出自己的弱点，那么老虎虽然凶猛，却因为疑虑畏惧而终究不敢进攻。而此时却落得这个下场，真是可悲啊！

永某氏之鼠

永州有某人，怕犯日忌，拘执禁忌特别过分。他认为自己出生的年份正当子年，而老鼠又是子年的生肖，因此爱护老鼠，家中不养猫狗，也不准仆人伤害它们。他家的粮仓和厨房，都任凭老鼠横行，从不过问。

因此老鼠就相互转告，都跑到某人家里，既能吃饱肚子，又很安全。某人家中没有一件完好无损的器物，笼筐箱架中没有一件完整的衣服，吃的大都是老鼠吃剩下的东西。白天老鼠成群结队地与人同行，夜里则偷咬东西，争斗打闹，各种各样的叫声，吵得人无法睡觉。但某人始终不觉得老鼠讨厌。

过了几年，某人搬到了别的地方。后面的人住进来后，老鼠的猖獗仍和过去一样。那人就说：“老鼠是在阴暗角落里活动的可恶动物，这里的老鼠偷咬吵闹又特别厉害，为什么会达到这样严重的程度呢？”于是借来了五六只猫，关上屋门，翻开瓦片，用水灌洞，奖励仆人四面围捕。捕杀到的老鼠，堆得像座小山，都被丢弃在隐蔽无人的地方，臭气散发了数月才停止。

唉！那些老鼠以为吃得饱饱的而又没有灾祸，那是可以长久的吗？

【题解】

柳宗直字正夫，比宗元少十岁。柳宗元从长安贬谪永州，他陪同前往，一起生活，感情深厚。宗直生来刚健好气，善于学习，多才多艺，擅长书法，爱憎分明，嫉恶如仇。他毕生从事西汉史料的研究，在永州写出了与班固的《汉书》相似的史书《西汉文类》，共四十卷。柳宗元欣然写下《柳宗直西汉文类序》。

柳宗直西汉文类序[1]

【原文】

左、右史混久矣。言、事驳乱[2]。《尚书》《春秋》之旨不立。自左丘明传孔氏[3]，太史公历述古今，合而为《史记》[4]，迄于今，交错相糺[5]，莫能离其说。独左氏《国语》[6]，纪言不参于事；《战国策》《春秋后语》[7]，颇本古史《尚书》之制。然无古圣人蔚然之道，大抵促数耗矣。而后之文者宠之。文之近古而尤壮丽，莫若汉之西京[8]。班固书[9]传之。吾尝病其畔散不属，无以考其变，欲采比义；会年长，疾作，驽堕[10]愈日甚，未能胜也。

幸吾弟宗直爱古书，乐而成之。搜讨磔裂，捃摭[11]融结，离而同之，与类推移。不易时月而咸得从其条贯。森然若开群玉之府[12]，指挥联累，圭璋琮璜[13]之状，各有列位，不失其序，虽第其价[14]可也。

以文观之，则赋、颂、诗、歌，书、奏、诏、策，辩、论之辞毕具。以语观之，则右史纪言，《尚书》《战国策》，成败兴

坏之说大备，无不苞也。噫！是可以为学者之端耶。

始吾少时，有路子者，自赞为是书，吾嘉而叙其意，而其书终莫能具。卒俟宗直也。故删取其说，系于左，以为《西汉文类》首纪。

殷、周之前，其文简而野[15]；魏晋以降，则荡而靡[16]；得其中者汉氏。汉氏之东，则既衰矣。当文帝[17]时，始得贾生[18]，明儒术；武帝[19]尤好焉，而公孙弘、董仲舒、司马迁、相如[20]之徒作，风雅益盛，敷施天下，自天子至公卿、大夫、士、庶人咸通焉，于是宣于诏、策，达于奏、议，讽于辞、赋，传于歌、谣；由高帝讫于哀、平、王莽之诛，四方之文章，盖烂然[21]矣。史臣班孟坚[22]修其书，拔其尤者，充于简册，则二百三十年间，列辟[23]之达道，名臣之大范，贤能之志业，黔黎[24]之风习列焉。若乃合其英精，离其变通，论次其叙位，必俟学古者兴行之。唐兴，用文理；贞元[25]间，文章特盛，本之三代[26]浃于汉氏，与之相准。于是有能者，取孟坚书，类其文，次其先后，为四十卷。

【注释】

①柳宗直：字正夫，为子厚从父弟。

②言、事驳乱：《汉书》中记载，左史记言，右史记事；事为《春秋》，言为《尚书》。左右史，古分为二。此言左、右相混不分，而言事驳乱也。

③左丘明：鲁之太史，述孔子《春秋》而作《左传》。

④太史公：汉司马迁也。作《史记》，起黄帝，迄汉武。

⑤糺：同“纠”。戾也，合也。

⑥《国语》：亦为左丘明作。

⑦《战国策》:为先秦人记战国时策士事,汉刘向辑为一编。《春秋后语》:晋孔衍作。采取《战国策》及《史记》所记,参其同异,而为此编。今逸。
⑧西京:后汉都洛阳,称前汉之长安为西京。
⑨班固书:《汉书》。
⑩驽堕:谓驽劣、堕落也。
⑪捃摭(jùn zhī):罗取也。
⑫群玉之府:藏书册之地。《穆天子传》:至于群玉之山,先王之所谓策府。语本此。
⑬圭璋琮璜:皆玉名。因言群玉。故以之比书册。
⑭第其价:谓次第其价值也。
⑮野:质胜文谓之"野"。
⑯荡:淫荡。靡:萎靡。
⑰文帝:高帝子。
⑱贾生:指西汉文学家贾谊。
⑲武帝:景帝子,文帝孙。
⑳公孙弘:武帝时人。初举贤良,对策第一。董仲舒:武帝时人,著有《天人三策》《春秋繁露》。司马迁:亦武帝时人,著《史记》。司马相如:字长卿,武帝时以辞赋著名。
㉑烂然:光明貌。
㉒孟坚:为班固之字。固著《汉书》。
㉓辟:君。
㉔黔:黔首。黎:黎民。
㉕贞元:德宗年号。
㉖三代:夏、商、周。

【译文】

左史右史的概念混淆已经很久了，记言记事有些杂乱，《尚书》《春秋》的宗旨也不能确立。自从左丘明为孔子的《春秋》作传，太史公司马迁的记述贯通古今，合编各类资料而成《史记》，到现在交错纠缠，还是不能区分这两种概念。只有《左传》《国语》记述言论，不涉及记事。《战国策》《春秋后语》很注意遵循右史《尚书》记事的体例。然而没有古圣人彰明显扬的大道，大部分情况都是不明确的，而后来的文章又沿袭了这模糊不明的旧习。文章越古就越是雄壮华丽，这种风格最好的莫过于西汉之文。班固的《汉书》里有记载，我曾经批评这些记载过于散漫，没有办法考辨其变化之源流。我也曾打算整理出来做比较，不巧年纪大了身体不好，头脑一天比一天愚钝，不能胜任。

幸好我的堂弟柳宗直喜读古书，乐于成全我。他搜尽残篇断简，编排融合，区别不同文类，将相同的类别放在一起，不改变其年月秩序，且都能够形成条理。井然有序，如同开放了帝王的藏书之府。连成一气，如同圭璋琮璜一样，各有自己的位置，不颠倒本有的秩序，即使以此来论定文章的价值也是可以的。

依照文类来看，则赋、颂、诗、歌、书、奏、诏、策、辩、论等文体都有。依照内容来看，则右史记述言论，《尚书》《国语》《战国策》等成败兴衰的道理完全具备，没有不包括在内的。啊！这本书可以作为求学的人进阶的开始呵！

当初，我年轻的时候，有一位叫路随的朋友，打算编这本书，我曾嘉奖讲述他的这番美意，可惜这本书他终究没有编完，最后完成的是柳宗直。所以删取路随编好的部分，放在前面，作为《西汉文类》的首卷。

商、周朝之前，文字简明质朴，魏晋以后，文字放达华丽，兼具两者之美的是汉代的文章。到东汉时，文气已衰。汉文帝时，才有贾谊彰明儒术，汉武帝尤其喜欢。后来公孙弘、董仲舒、司马迁、司马相如等人兴起，文章更加兴盛，流传天下，自皇帝公卿大臣到一般读书人、平民都能通晓。就这样，在诏策里宣示，在奏议里传达，在辞赋里讽谏，在歌谣里传诵，从汉高祖一直到汉平帝、汉哀帝，直到王莽覆灭，天下四方的文章已有灿烂辉煌的规模。史官班固修《汉书》，选择其中优异的，记载于典册之中，在西汉 230 年中，君王的通达明道，名臣的模范事迹，贤能之士的志向事业，老百姓的风俗美德善行凡此等等，就像集合花木的精华，分别各自的门类，理清各自的次序，等待好古求学的人来学习遵行。大唐兴起，(开科举)运用文章取士，到了唐德宗贞元年间，文章很兴盛。追本溯源到三代，直到两汉，两者风格相合。在这种情况下，有像柳宗直这样的能人，取来班固的《汉书》，从中挑选文章，按先后顺序排列，一共有四十卷。

【题解】

这是一篇赠序体的政论文，作者写给同乡的薛有义。在这篇短短的文章中，作者提出了为吏者“民之役”的主张，对吏治腐败有所批判。文章语重心长、情辞恳切、言简意赅，体现了柳宗元散文的鲜明特色。文章从送别始，以送别结，中间借送别论吏治，首尾呼应，紧扣文题。“官为民役”的比拟，合情合理，见解卓越。

送薛存义之任序[①]

【原文】

河东[②]薛存义将行，柳子载肉于俎，崇酒于觞，追而送之江之浒[③]，饮食之。且告曰：凡吏于土者，若[④]知其职乎？盖民之役，非以役民而已也。凡民之食于土者，出其什一佣乎吏，使司平于我也。今我受其直，怠其事者，天下皆然。岂唯怠之，又从而盗之。向使佣[⑤]一夫于家，受若直，怠若事，又盗若货器，则必甚怒而黜罚之矣。以今天下多类此而民莫敢肆其怒与黜罚，何哉？势不同也。势不同而理同，如吾民何！有达于理者，得不恐而畏乎！

存义假令零陵二年矣。蚤作而夜思，勤力而劳心，讼者平，赋者均，老弱无怀诈暴憎。其为不虚取直也的[⑥]矣，其知恐而畏也审矣。

吾贱且辱，不得与考绩幽明[⑦]之说；于其往也，故赏以酒肉而重之以辞。

【注释】

①薛存义:亦河东人,与子厚同里。蒋之翘注:一本无“之任”二字,盖存义令永州之零陵,其去也,子厚序而送之。

②河东:今山西境内黄河以东之地。

③江之浒:通行本作“江浒”,无“之”字。浒:水涯。

④若:你。下文同。

⑤佣:雇佣。

⑥的:实也。

⑦幽明:《尚书·舜典》中说,三载考绩,三考,黜陟幽、明。谓三载一考,三考,则能否,幽明有别。黜退其幽者,而升进其明者。

【译文】

河东人薛存义将要离开这里了,我用盆盛着肉,用酒杯盛着酒,追寻薛存义到水边,和他一起喝酒吃肉。

并且告诉薛存义说:“凡是在地方上做官的人,你知道地方官的职责吗?他们是百姓的仆役,而不是来奴役百姓的。凡是靠种地生活的人,拿出他们收入的十分之一来雇佣官吏,目的是要官吏为他们主持公道。现在的官吏拿了百姓的钱,而不好好给百姓办事的,普天之下到处都是。他们不仅不好好办事,而且还贪污、敲诈百姓的财物。假若家里雇一个仆人,他接受了你的报酬,却不好好干活,而且还盗窃你的财物,那么你必然很恼怒而且要赶走他,处罚他。现在的官吏大多是像这样的,而百姓却不敢像对待怠工又偷东西的仆人那样,尽情发泄自己的愤怒驱逐责罚他们,这是什么原因呢?这是因为民与官同主与仆的情况和地位不同啊。虽然情况和地位不同,道理都一样,究竟应该怎样对待我们百姓?懂得这个道理的人,能不感到害怕而有所警惕吗!”

薛存义代理零陵县令两年了。在这期间,他清早就起来办事,夜里还在考虑问题,勤勤恳恳,尽心竭力。使打官司的人得到公平处理;使纳税的人得到公允的负担。无论老少都对他心不怀欺诈,面不露憎恨,这证明他确实没有白拿百姓的钱,他是懂得不好好给百姓办事还要敲诈百姓财物的可怕而有所警惕的。

我现在是受贬谪、地位低下的人,不能参与考核官吏政绩的优劣而提出是否应该升降的意见;因此,当薛存义将要离开的时候,我为他饯行,并写了这篇赠序。

【题解】

柳宗元对家族成员的影响很大。元和六年(811),他的从弟柳谋曾专门来永州拜访他。本文是作者送别从弟柳谋时所做的一篇赠序。文章简述柳谋读书、应试、做官、免职回家的人生历程,表达了作者对柳谋人生抉择进退有道的充分肯定。作者认为读书人居家出仕、对内对外以及谋食谋道等都有其行为准则,而柳谋正是行事有准则的读书人。

送从弟谋归江陵序[①]

【原文】

吾与谋由高祖王父而异。谋少吾二岁。往时在长安,居相迩也。与谋皆甚少。独见谋在众少言,好经书,心异之。其后吾为京兆从事[②],谋来举进士,复相得。益知谋盛为文辞,通外家书[③],一再不胜,惧禄养之缓,弃去,为广州[④]从事,复佐邕州[⑤],连得荐举至御史。

后以智免归,家江陵。有宅一区,环之以桑。有童指[⑥]三百,有田五百亩,树之谷,艺之麻,养有牲,出有车,无求于人,日率诸弟县滑甘丰柔[⑦],视寒暖之宜。其隙[⑧]则读书,讲古人所谓"求其道之至"者以相励也。

过永州,为吾留信次[⑨],具道其所为者。凡士人居家,孝悌恭俭;为吏,祗肃;出则信,入则厚;足其家,不以非道;进其身,不以苟得;时退则退,尊老无井臼之劳[⑩],安和而益寿;兄弟衎衎[⑪]以相友,不谋食而食给,不谋道

而道显;则谋之去进士,为从事于远,始也吾疑焉,今也吾是焉。别九岁而会于此。视其貌益伟,问其业益习,叩其志益坚。

于虖[12]!吾宗不振久矣。识者曰:今之世,稍有人焉;若谋之出处,庸非所谓人欤!

或问管仲,孔子曰:人也。谋虽不试,于管仲,其为道无悖,亦可以有是名也。抑又闻:圣人之道,学焉而必至。谋之业良矣,而又增焉;志专矣,而又若不足焉。孔子之门,不道管、晏,则谋之为人也其可度哉!

吾不智触罪,摈越、楚间六年[13],筑室茨草[14],为圃乎湘之西[15],穿池可以渔,种黍可以酒,甘终为永州民;又恨徒费禄食而无所答,下愧农夫,上惭王官,追计往时咎过,日夜反覆,无一食而安于口,平于心。若是者岂不以少好名誉,嗜味得毒[16]而至于是耶。用是愈贤谋之去进士为从事以足其家,终始孝悌。今虽羡之,岂复可得!

谋在南方有令名,其所为日闻于人。吾恐谋不幸,又为吾之所悔者,将已之而不能得,可若何?然谋以信厚少言,蓄其志以周于事,虽履吾迹,将不至乎吾之祸。则谋何悔之有!苟能是,虽至于大富贵,又何栗耶!振吾宗者,其惟望乎尔!

【注释】

①江陵:唐郡名,今湖北江陵县。

②京兆:指京师。从事:佐吏之称。

③外家书:谓外教之书,指佛书也。

④广州:今广东番禺。

⑤邕州:今广西南宁。

⑥童指:谓童仆。指:用以计人口之数。如今俗言“食指浩繁”是也。

⑦滑甘丰柔:代指美食。

⑧隟:同“隙”,闲暇之时。

⑨信次:凡师,一宿为舍,再宿为信,过信为次。见《左传》。

⑩井臼之劳:谓汲水,舂米之役也。

⑪衎衎:安定貌。

⑫于虖:同“呜呼”。

⑬摈:斥逐。越、楚间:指永州。永州与广东相近,古于湖南亦称楚,于广东亦称南越,故曰“越、楚间”。

⑭茨草:以茅盖屋。

⑮湘之西:谓湘水之西,指永州。

⑯嗜味得毒:《国语》中说,单襄公谓鲁成公曰:“高屋实疾颠,厚味得腊毒。”

【译文】

我和柳谋,(长辈)从曾祖的父亲(那代起)而不同。柳谋比我小两岁,往日在长安,住得相距不远。我和柳谋都很年轻,看见唯独柳谋在众人中很少说话,喜好经书,心中觉得他与众不同。这以后我担任京兆从事,柳谋来京参加进士考试,又与他相见,更加知道柳谋广泛地写文章,精通佛教典籍。柳谋多次不能考中,担心俸禄供养迟缓,就放弃(考进士)离开(长安),去广州担任从事,后来又在邕州做辅佐官员,接连获得举荐做到御史。

后来(他)凭借智慧免职,回去安家在江陵。有一块住宅,周围种上桑树，有很多仆人，有很多田，种上稻谷，种上麻，养着牲畜，出门有车，不用为生活乞求别人。每天带着各位弟弟备好鲜美可口的食物，看寒热气候合宜之时，就利用空闲读书，讲那些古人所说的追求最高道德的人事迹来相互勉励。经过永州，因为我而留住了几天，并详尽地讲述了他所做的事情。

大凡读书人，居住在家里孝顺长辈、敬爱兄长，恭敬节俭，担任官吏恭谨而严肃。出外就守信用，回家就宽厚待人。使自己的家庭富足，不凭借不合正道的手段；使自己得到提拔，不凭借苟且的手段得到。时势要退就退，尊敬老人，（使他们）没有汲水舂米的劳苦，可以和睦安详、增延寿命，兄弟相互友好。不谋求粮食而粮食充足，不设法寻求道义而道义彰显。柳谋不考进士到远方担任从事，开始我对此感到疑惑，现在我认为这样做是对的。分别九年在此相会，看他的相貌更伟岸，问他的学业更熟悉，询问他的志向更坚定。唉！我的家族不振兴已经很久了。有见识的人说：如今的世上稍稍有（所谓的）“人”了。像柳谋的出仕和隐退，哪里不是所谓的“人”呢？有人问到管仲，孔子说：“（他是）‘人’。”柳谋虽然不被管仲所知，（但是）他为道没有谬误，也可以有这种名声。

我不聪明，获罪被抛弃在越地、楚地间六年，用杂草盖房子，在湘水西面种菜，挖掘池塘可以养鱼，种植黍子可以酿酒，甘于一直做永州的百姓，又遗憾白白地花费俸禄却没有什么报答的，对下愧对农夫，对上愧对朝廷。盘算思索往日的过错，日日夜夜再三考虑，没有一样吃的东西是安于口、平于心的。像这样的情况，难道不是因为年轻时喜好名誉，（就像）嗜好厚重的味道（反而）受到毒害而至于这样吗？因此更加觉得柳谋不考进士担任从事来使他的家富足、自始至终孝顺长辈、敬重兄长是贤能的，现在虽然想要羡慕他，难道还能够做得像他这样？柳谋在南方有美好的名声，他的作为一天天地为人所知，我担心柳谋不幸又做出我后悔的事情，想要中止它而不能够办到，怎么办？然而柳谋凭借着诚实敦厚，说话不多，怀着他的志向来周密地做事，虽然踏着我的足迹，将不会犯下我的罪过，那么柳谋有什么好后悔的呢？如果能够这样，即使大富大贵，又害怕什么呢？振兴我们宗族的人，大概只能指望你了！

【题解】

本文是一篇赠序，写于柳宗元任柳州刺史时期。韩愈与柳宗元是好友，曾批评佛教，柳宗元则在这篇《送僧浩初序》中写了他对佛教的看法。他认为浮图不可排斥，其原因一是佛家思想常常与《周易》、《论语》的思想相契合，并不与孔子的学说思想矛盾；二是僧人不爱官，不显能，远非那些“逐逐然唯印组为务以相轧者”可以相比。韩愈则认为佛教是西方宗教，应排斥，而柳宗元却要求去名求实，强调从本质上看问题。柳宗元透过儒、佛表面的矛盾，看到了佛教理论有与儒家思想相合之处，其见地显然高出韩愈一筹。

送僧浩初序[①]

【原文】

儒者韩退之[②]与余善，尝病余嗜浮图[③]言，訾[④]余与浮图游。近陇西[⑤]李生础自东都[⑥]来，退之又寓书罪余，且曰：见《送元生序》[⑦]。不斥浮图。浮图诚有不可斥者，往往与《易》《论语》合，诚乐之。其于性情奭然[⑧]，不与孔子异道。

退之好儒，未能过扬子[⑨]；扬子之书，于庄、墨、申、韩，皆有取焉[⑩]。浮图者，反不及庄、墨、申、韩之怪僻险贼耶？曰：以其夷[⑪]也。果不信道而斥焉以夷，则将友恶来、盗跖[⑫]，而贱季札、由余[⑬]乎？非所谓去名求实者矣。吾之所取者，与《易》《论语》合，虽圣人复生，不可得而斥也。

退之所罪者，其迹也。曰：髡而缁[14]，无夫妇，父子，不为耕农蚕桑而活乎人。若是，虽吾亦不乐也。退之忿其外而遗其中，是知石而不知韫玉[15]也。吾之所以嗜浮图之言以此。与其人游者，非必能通其言也。且凡为其道者，不爱官，不争能，乐山水而嗜闲安者为多。吾病世之逐逐然唯印组[16]为务，以相轧也，则舍是其焉从。吾之好与浮图游以此。

今浩初闲其性，安其情，读其书，通《易》《论语》，唯山水之乐，有文而文之，又父子咸为其道，以养而居，泊焉而无求；则其贤于为庄、墨、申、韩之言，而逐逐然唯印组为务以相轧者，其亦远矣。

李生础，与浩初又善，今之往也，以吾言示之。因北人寓退之，视何如也。

【注释】

①按，读此文，可见子厚思想之一斑。

②退之：韩愈之字。愈为子厚同时人，以文名。

③浮图：指佛教。

④訾(zǐ)：议人过失。

⑤陇西：今甘肃陇西县。

⑥东都：谓汉之东都，即今河南洛阳。

⑦《送元生序》：子厚有《送元十八山人南游序》。

⑧奭(shì)然：愉快的样子。

⑨扬子：扬雄，西汉末人，著《法言》《太玄经》等书。

⑩庄墨申韩：指庄周、墨翟、申不害、韩非。按：扬子云："庄周有取乎？

曰：少欲。”又云：“庄、杨荡而不法，墨、晏俭而废礼，申、韩险而无化。”是扬子只取庄周，不取墨翟与申、韩也。子厚此言有误。

⑪夷：犹言外国。

⑫恶来：商纣之臣。盗跖：柳下惠弟。皆凶人也。

⑬季札：春秋时吴季子。让国不受，封于延陵，号延陵季子。由余：春秋时西戎人。秦穆公用其谋拓地千里，遂霸西戎。

⑭髡：剃发。缁：黑色。僧曰“缁流”，因衣黑衣，故名。

⑮韫：藏。韫玉：谓藏于石中之玉。

⑯印：谓官吏之印。组：丝条，以承印环者。

【译文】

儒者韩愈，与我交好，他曾经批评我喜欢佛教言论，指责我与僧人来往。最近，陇西李础从东都洛阳来，退之又托他带信来批评我，并且说道：“我见到你写的《送元生序》，里面没有排斥佛教的内容。”佛教思想确实有不可排斥的地方，它的有些思想，常常与《周易》《论语》的思想相契合，实在叫人喜欢。精神上则可以自由无束，故而佛教与孔子的学说并没有根本的区别。

退之爱好儒学，其程度不可能超过杨雄，但杨雄所著之书，对庄、墨、申、韩等诸子思想都有所吸收、包融。佛教思想，难道还不如怪僻、阴险、邪恶的庄、墨、申、韩的思想吗？退之说：“因为它是外国的产物。”如果不相信佛道就因为它是外国的产物就加以排斥、责难，那么，难道要将中原的恶来、盗跖视为朋友，而鄙薄非中原的季札、由余吗？这就不能算是不讲名称、只求实际的人了。我从佛教思想中汲取的部分与《周易》《论语》的旨趣相合，即使圣人再生，也不会排斥它。

退之所谴责的不过是表面现象罢了,也就是他说的:“僧人剃光头发,身穿黑衣,断绝夫妇、父子间的人伦关系,不耕田,不织布,全靠别人养活。”像这些,即使是我,也是不喜欢的。退之因厌恨其外表而丢弃其内在合理的内容,这是只知道璞石却不知道璞石中还蕴藏着美玉。我之所以喜欢佛教的经典,原因就在这里。与佛教僧侣(那些人)交往的人,不一定要通晓他们的学说。而且大凡信奉佛道的人,大多不喜欢做官,不愿意显露自己的才能,乐于游赏山水而喜欢悠闲、安适的生活。我憎恨世上那些一心为当官而奔走不停并且相互倾轧的人,那么,除了僧人,我还能跟从谁呢?我之所以喜欢与僧人交往,原因就在这里。

如今僧人浩初约束自己的心性,平稳自己的情感,静心读书,精通《周易》、《论语》,把游山玩水当作唯一的乐趣,并且用诗文来描绘和赞美。而且他们父子都信奉佛教,浩初因尽孝道而与父亲住在一起,心地淡泊,不追逐名利,他的德行胜过信奉庄、墨、申、韩等学说的人,对比那些一心为当官而奔走不停,并且相互倾轧排挤的人,更要远远胜出。

李础又与浩初交好,现在他要离开了,我把这篇赠序给他看。请他托去北方的人顺便带给退之,不知退之读了觉得怎么样呢。

【题解】

本文是柳宗元为他的《八愚诗》所写的序，陈述《八愚诗》的旨趣。《八愚诗》是柳宗元被贬到永州以后，为了排遣他淤积在心中的愤懑不平而写的一组寄情于山水的诗。《八愚诗》已经亡佚。一般说来，序有两种，一种是书序，一种是别序。书序一般用来陈述著作的旨趣，多放在篇首；别序一般用来为朋友赠别。《愚溪诗序》是书序，文章以愚为线索，把自己的愚和溪水的愚融为一体，充分表达了一个遭受重重打击的正直士大夫的愤世嫉俗之情。文章清新秀丽，语言简洁生动，结构严谨妥帖，不愧是传世的名篇。

愚溪诗序

【原文】

灌水①之阳，有溪焉，东流入于潇水②。或曰：冉氏尝居也，故姓③是溪曰冉溪。或曰：可以染也，名之以其能，故谓之染溪。余以愚触罪，谪潇水上，爱是溪，入二三里，得其尤绝者家焉。古有愚公谷④，今余家是溪，而名莫定⑤，土之居者犹龂龂然⑥，不可以不更⑦也。故更之为愚溪。

愚溪之上买小丘，为愚丘。自愚丘东北行六十步，得泉焉，又买居之，为愚泉。愚泉凡六穴，皆出山下平地，盖上出也。合流屈曲而南，为愚沟。遂负土累石，塞其隘为愚池。愚池之东为愚堂，其南为愚亭。池之中为愚岛。嘉木异石错置，皆山水之奇者，以余故，咸以愚辱焉。

夫水，智者乐也[8]；今是溪独见辱于愚，何哉？盖其流甚下，不可以灌溉；又峻急，多坻[9]石，大舟不可入也；幽邃浅狭，蛟龙不屑[10]，不能兴云雨，无以利世；而适类于余，然则虽辱而愚之，可也。

宁武子邦无道则愚[11]，智而为愚者也；颜子终日不违如愚[12]，睿[13]而为愚者也。皆不得为真愚。今余遭有道，而违于理，悖于事，故凡为愚者莫我若也。夫然，则天下莫能争是溪，余得专而名焉。

溪虽莫利于世，而善鉴万类；清莹秀彻，锵鸣金石；能使愚者喜笑眷慕，乐而不能去也。余虽不合于俗，亦颇以文墨自慰，漱涤万物，牢笼百态，而无所避之。以愚辞歌愚溪，则茫然而不违，昏然而同归，超鸿蒙[14]，混希夷[15]，寂寥而莫我知也。于是作《八愚诗》，记于溪石上。

【注释】

①灌水：为湘江之支流。

②潇水：在今湖南道县北。源出潇山，故名潇水。

③姓：用作动词，命名。

④愚公谷：齐桓公出猎，逐鹿，入山谷中。见一老人问曰："是为何谷？"对曰："愚公之谷。"桓公问其故，曰："以臣名之。"（《说苑》）

⑤名莫定：通行本作"莫能定"。

⑥龂龂（yín）然：争辩的样子。

⑦更：易也。这里是说更易其名也。

⑧智者乐也：《论语》：智者乐水。乐：喜好。

⑨坻（chí）：水中高地。

⑩不屑：犹言“不屑居”也。

⑪宁武子邦无道则愚：《论语》：宁武子，邦有道则智，邦无道则愚。其智可及也，其愚不可及也。按：此言非真愚也。

⑫颜子终日不违如愚：《论语》：子曰：“吾与回言，终日，不违，如愚。退而省其私，亦足以发。回也不愚。”回，颜子之名也。

⑬睿（ruì）：深明也。

⑭鸿蒙：自然元气。

⑮希夷：《老子》：“听之不闻名曰希，视之不见名曰夷。”

【译文】

灌水的北面有一条小溪，往东流入潇水。有人说，过去有个姓冉的住在这里，所以把这条溪水叫作冉溪。还有人说，溪水可以用来染色，因它的功能被命名为染溪。我因愚获罪，被贬到潇水。我喜爱这条溪水，沿着它走了二三里，发现一个风景绝佳的地方，就在这里安家。古代有愚公谷，如今我把家安置在这条溪水旁，可是它的名字没人能定下来，当地的居民还在争论不休，看来不能不改名了，所以我把它定名为愚溪。

我在愚溪上面买了个小丘，叫作愚丘。从愚丘往东北走六十步，发现一处泉水，又买下来占为己有，称它为愚泉。愚泉共有六个泉眼，都在山下平地，泉水都是往上涌出的。泉水合流后弯弯曲曲向南流去，经过的地方就称作愚沟。于是运土堆石，堵住狭窄的泉水通道，筑成了愚池。愚池的东面是愚堂，南面是愚亭。池子中央是愚岛。美好的树木和奇异的岩石参差错落。这些都是山水中瑰丽的景色，因为我的缘故都用愚字玷污了它们。

水是聪明人所喜爱的。可现在这条溪水竟然被愚字辱没，这是为什么呢？因为它水道很低，不能用来灌溉。又险峻湍急，有很多浅滩和石头，大船进不去；幽深浅狭，蛟龙又不屑于此，不能兴起云和雨，对世人没有什么好处，正像我。既然如此，即使是玷辱了它，用愚字来称呼它，也是可以的。

宁武子“在国家动乱时就显得很愚蠢”，是聪明人故意装糊涂。颜子“从来不提与老师不同的见解，像是很愚笨”，也是明智的人而故意表现得很愚笨。他们都不是真正的愚笨。如今我在政治清明时却做出与事理相悖的事情，所以再没有像我这么愚蠢的人了。因此，天下人谁也不能和我争这条溪水，我才得以专门给它命名。

溪水虽然对世人没有什么好处，可它却能够映照万物，清秀明澈，能发出金石般的响声，能使愚蠢的人喜笑颜开，对它眷恋爱慕不忍离去。我虽然不合世俗，也还能稍用文章来安慰自己，用文笔自由驱使万物，创造出一个称心满意的审美境界，世间万象没有什么能逃得出我的笔墨形容。我用愚笨的言辞歌唱愚溪，觉得茫茫然没什么悖于事理的，昏昏然似乎都是一样的归宿，超越天地尘世，融入玄虚静寂之中，而寂寞清静之中没有谁能了解我。于是作《八愚诗》，记在溪石上。

【题解】

《愚溪对》是《愚溪诗序》的姊妹篇。唐宪宗元和五年(810),柳宗元在贬谪地永州城郊发现了冉溪,于是结茅树蔬,住在了这里,并改其名为"愚溪"。为溪改名之后不久,他写下这篇文章。文中通过虚拟的梦境,假托作者与愚溪之神的对话,曲折淋漓地发泄了对黑白颠倒、智愚不分的现实的愤慨之情,写愚溪的遭遇,实质上就是写作者自己的遭遇。文章笔墨恣肆而条理分明,诙谐戏谑而寓意深长,有声有色有神韵。

愚溪对[1]

【原文】

柳子名愚溪而居。五日,溪之神夜见梦曰:"子何辱予,使予为愚耶?有其实者,名固从之。今予固若是耶?予闻闽[2]有水,生毒雾疠气[3],中之者温屯呕泄[4]。藏石走濑,连舻糜解[5]。有鱼焉,锯齿锋尾而兽蹄[6]。是食人,必断而跃之,乃仰噬焉。故其名曰恶溪[7]。西海有水,散涣而无力,不能负芥,投之,则委靡垫[8]没,及底而后止。故其名曰弱水[9]。秦有水,掎汩泥淖[10],挠混沙砾[11]。视之分寸,眙[12]若睨[13]壁。浅深险易,昧昧不觌。乃合清渭[14],以自彰秽迹[15]。故其名曰浊泾[16]。雍[17]之西有水,幽险若漆,不知其所出。故其名曰黑水[18]。夫恶、弱,六极也[19]。浊、黑,贱名也。彼得之而不辞,穷万世而不变者,有其实也。今予,甚清与美,为子所喜。而又功可以及圃畦[20],力可

以载方舟[21]，朝夕者济焉。子幸择而居予，而辱以无实之名以为'愚'，卒不见德而肆其诬，岂终不可革耶？"

柳子对曰："汝诚无其实。然以吾之愚而独好汝，汝恶得避是名耶！且汝不见贪泉[22]乎？有饮而南者，见交阯[23]宝货之多，光溢于目，思以两手左右攫而怀之。岂泉之实耶？过而往，贪焉，犹以为名。今汝独招愚者居焉，久留而不去，虽欲革其名，不可得矣。夫明王之时，智者用，愚者伏。用者宜迩，伏者宜远。今汝之托也，远王都三千余里，仄僻回隐，蒸郁之与曹[24]，螺蚌之与居[25]，唯触罪摈[26]辱，愚陋黜伏者，日骎骎[27]以游汝，闯闯[28]以守汝，汝欲为智乎？胡不呼今之聪明皎厉，握天子有司之柄，以生育天下者，使一经于汝；而唯我独处。汝既不能得彼，而见获于我，是则汝之实也。当汝为愚，而犹以为诬，宁有说耶？"

曰："是则然矣。敢问：子之愚，何如而可以及我？"

柳子曰："汝欲穷我之愚说耶？虽极汝之所往，不足以申吾喙；涸汝之所流，不足以濡吾翰。姑示子其略：吾茫洋乎无知。冰雪之交，众裘，我絺[29]；溽暑之铄，众从之风，而我从之火。吾荡而趋[30]，不知太行之异乎九衢[31]，以败吾车；吾放而游，不知吕梁[32]之异乎安流[33]，以没吾舟；吾足蹈坎井，头抵木石，冲冒榛棘，僵仆虺蜴[34]，而不知怵惕[35]，何丧何得？进不为盈，退不为抑。荒凉昏默，卒不自克。此其大凡者也。愿以是污汝，可乎？"

于是溪神深思而叹曰："嘻！有余矣。是及我也。"因俯而羞，仰而吁，涕泣交流，举手而辞。一晦一明，觉而莫

知所之。遂书其对。

【注释】

①愚溪：子厚谪居永州，郁郁不自得。乃以“愚”名其所居之溪，复托言愚溪之神与己问答，而著此文。略与屈原《渔父》相似。又，此首旧编在《天说》等文之前。今因子厚作此文，应在作《愚溪诗序》后，故移置于此。

②闽：今福建省地。

③疠气：疫气。

④温：同“瘟”，热病也。屯：积也。温屯谓患积滞之病也。呕：吐也。泄：泻也。

⑤舻：船头刺棹处。连舻：谓其多也。糜解：谓船触石而破碎也。

⑥锋尾：与锯齿对言。或作“蜂尾”与“兽蹄”对言，非是。盖蜂刺甚细弱，不足以状大鱼之尾也。

⑦恶溪：旧注谓广东潮安县有鳄溪，产鳄鱼，为人害，一称恶溪。此处云闽，大抵潮安为古闽南、两粤之界，故云云。然余窃以为此处恶溪二字，未必实指某地。亦犹下文弱水，不必真有其地也。

⑧垫：陷也。

⑨弱水：其水无力，不能浮物。此二字出《山海经》，未必真有其地。

⑩掎（jī）：偏引也。汩（gǔ）：没也。淖（nào）：泥。

⑪砾：碎石如砂而较大者。

⑫眙（chì）：直视。

⑬睨（nì）：斜视。

⑭渭：渭水也。源出甘肃，东流入陕西境。

⑮以自彰秽逾：谓浊泾与清渭相较，而自彰其浊也。

⑯泾：泾水也。源出甘肃，东流至陕西入于渭。

⑰雍：《禹贡》九州之一。今陕西、甘肃及青海部分之地。

⑱黑水：在今甘肃。

⑲六极：一曰凶短折，二曰疾，三曰忧，四曰贫，五曰恶，六曰弱。此言恶、弱六极，意谓恶、弱为六极之二也。

⑳圃畦：种蔬果之园曰圃。田一区曰一畦。

㉑方舟：两舟相并而行。

㉒贪泉：旧注：去广州二十里，地名石门；水曰贪泉，饮者怀无厌之欲。按：饮贪泉则贪，非事实所宜有，子厚于此，已明言之矣。

㉓交阯：汉置交阯郡。今越南中北部。

㉔蒸郁：湿热之气。曹：偶，伴侣。蒸郁之与曹谓与湿热之气为伴侣。

㉕螺蚌与之居：与螺、蚌同居。

㉖摈：斥，逐。

㉗骎骎(qīn)：马疾行貌。

㉘闯闯：马出门貌。

㉙绨(chī)：细葛布。为夏季服。

㉚荡：行动的样子。趋：疾行。

㉛太行：山名。亘河南、山西、河北三省。古人言山之险者，多以太行为代表。九衢：按《尔雅》：四达谓之衢，九达谓之逵。今云“九衢”，意谓大道也。

㉜吕梁：《庄子》中说，“孔子观于吕梁：悬水三千仞，流沫四十里”。然未必实有其地。旧注渭：在今江苏铜山县，似附会。

㉝安流：谓清浅无波涛之水。

㉞虺(huǐ)：毒蛇。蜴：蜥蜴。

㉟怵惕(chù tì)：恐惧貌。

【译文】

柳先生住在自己命名为愚溪的地方。命名五天后，溪神夜晚托梦见我说："您为什么侮辱我，令我成为愚呢？有其实质的，名字当然应该名副其实，现在的我就是那样的吗？我听说福建有条河，产生毒雾瘴气，吸进了那气体的人会温火郁积而发烧，湿气重而拉肚子。它里面暗礁激流，相继而来的船只会粉碎解体；其中有一种鱼，牙齿如同锯齿尾巴锋利野兽般的蹄子。这鱼吃人，必然咬断并抛起，然后仰头吃，所以那河的名字叫恶溪。西海有湖，涣散没有浮力，连小草都浮不起，丢进去的东西会颓然下沉淹没，沉到底了才会停止，所以它的名字叫弱水。秦有一条河，如搅和烂稀泥，混杂沙砾，看它分寸之间，不管正视、斜视都如同看墙浑如泥，那河的深浅险易之处，昏昏然看不清，便和清澈的渭水合流，用来显示自己污秽的样子，所以它的名字叫浊泾。雍的西部有条河，幽暗危险如同一片漆黑的未知，不知道它的源头，所以它的名字叫黑水。恶、弱，是六种极端不好的事情。浊、黑，是卑贱的名字。它们得到那样的名字而不能推辞，历经万世而不变的原因，是有其事实根据的啊。现在的我很清而且美丽，被您所喜欢，而且还可以浇灌菜园田地，浮力可以承载舟船，白天黑夜都可以渡船。您有幸选择了住在我这里，却用"愚"这样的不实之名来侮辱我，完全不见你有感激之心却还肆意侮辱，难道最终都不能改掉吗？"

柳先生回答说："你确实没有那么回事，然而以我这么愚蠢的人却唯独喜欢你，你怎么能回避得了这个名字呢！况且你不知道贪泉吗？有喝了后往南走的人，看见交趾的北部宝货那么多，贪婪的目光流露在眼中，想用两只手去抢来放到怀中，那难道是泉水的原因吗？人们自己有贪念就因此命名它为贪泉，如今你唯独招引愚蠢的我来居住，并且长久留在这里不离去，虽然想去掉这名字，不可能的啊。在明君的时代，智者被任用，愚蠢的人出不了头。用的聪明人应该接近，出不了头的蠢人应该远避。现在你托身所在的地方，离京城有三千多里远，偏僻隐晦，从蒸腾的雾气为伴，同蚌壳田螺并居，唯有触犯皇帝被排斥和侮辱、愚蠢鄙陋被罢黜不能出头的人，天天在你这漂游，无所事事地守着你。你想成为智者吗？干吗不叫来现今聪明、居于显赫高位、掌握朝廷大权主宰天下的官吏，哪怕让一个来你这一趟啊，却为什么独独只有我在这呢？你既然不能得到他们而被我所喜欢，这就是你的实情。当你是愚还认为是侮辱，还有什么说的吗？”

溪神说：“这事确实是这样，敢问您的愚蠢干吗非要连累到我呢？”

柳先生说：“你想彻底弄清我关于愚蠢的说法吗？即使你所去过的地方全算上，也不够用我的言论来讲述；用干你所有的水，还不够沾湿我的毛笔。姑且告诉你一个大概吧：我茫茫然非常无知。冰雪交加的时候，众人穿皮衣我穿单衣；闷热的酷暑连金属都要熔化的时候，众人都去有风的地方，而我却去有火的地方。我无所拘束地赶车，不认为太行山和通衢大道有什么不同，因此损坏了自己的车。我放任随意地驾驶，不知道吕梁以水流湍急闻名的河流和平静的河流的区别，因此沉没了我的船。我脚踩进浅井，头撞到树木和石头，冲撞满是荆棘的树丛，直挺挺地摔倒在毒蛇蜥蜴中，却不知道害怕和警惕。什么是失去什么是得到？进益不满意，贬斥不抑郁，冷漠昏聩，终究不能自觉醒悟，这还是个大概的情况，要用这些来玷污你吗？”

于是溪神沉思并叹息道：“唉！太多了，是会连累我的啊。”因此低下头觉得惭愧，仰起头长叹，眼泪鼻涕横流，举手行礼告别。一明一暗，醒来不知溪神去什么地方，于是就写下与愚神的对话。

【题解】

弘农公杨凭为柳宗元岳父，曾任湖南观察使兼潭州（长沙）刺史。公元 805 年，杨凭改任江西观察使，离任之时把东池赠送给了戴简。戴简便在东池之边建造戴氏堂。公元 806 年，柳宗元从长安去往永州路过潭州。此时的柳宗元是戴罪之身，很多人唯恐避之不及，戴简却邀请柳宗元在潭州短暂停留。本文当为此时所写，是柳宗元第一篇以自然景物为主的文章，也是他在长安生活了 33 年后第一次远离京城被贬远州后的散文作品。文章描绘了戴氏堂的美景，称赞了戴简离世乐道的情操，颂扬了弘农公治政、识人的才能和中正的美德。

潭州东池戴氏堂记[1]

【原文】

弘农公[2]刺潭三年，因东泉为池，环之九里。丘陵林麓[3]距其涯，坻[4]岛洲渚交其中，其岸之突而出者，水萦[5]之若玦[6]焉。池之胜，于是[7]为最。

公曰："是非离世乐道者，不宜有此。"卒授宾客之选者。

谯国戴氏曰简，为堂而居之。堂成，而胜益奇。望之，若连舻縻舰，与波上下。就之，颠倒万物，辽廓眇忽。树之松柏杉槠[8]，被之菱芡芙蕖[9]。郁然而阴，粲然而荣。凡观望浮游[10]之美，专于戴氏矣。

戴氏尝以文行累为连率[11]所宾礼，贡之泽宫[12]，而志不愿仕。与人交，取其退让。受诸侯之宠，不以自大。其

离世欤！好孔氏书，旁及庄、文[13]，莫不总统。以至虚为极，得受益之道。其乐道欤！贤者之举也必以类，当弘农公之选，而专兹地之胜，岂易而得哉！地虽胜，得人焉而居之，则山若增而高，水若辟而广，堂不待饰而已奂[14]矣。

戴氏以泉池为宅居，以云物为朋徒，摅[15]幽发粹，日与之娱。则行宜益高，文宜益峻，道宜益懋，交相赞者也。既硕其内，又扬于时，吾惧其离世之志不果矣。

君子谓弘农公刺潭得其政，为东池得其胜，授之得其人，岂非动而时中者欤！于戴氏堂也，见公之德，不可以不记。

【注释】

①潭州：今湖南长沙市。

②弘农：地名。弘农公：谓杨凭。凭，为弘农人。

③麓：山足。

④坻（chí）：水中高地。

⑤萦：绕也。

⑥玦（jué）：玉佩半环曰玦。

⑦是：指上文“其岸之突而出者”。“于是”二字非连读。

⑧楮（zhū）：木名。

⑨芰：亦菱也。菱之两角者曰芰。芙蕖：荷花也。

⑩浮游：这里指周流。

⑪率：亦作“帅”。古者十国为连。连有帅。连帅：十国诸侯之长也。

⑫泽宫：古者习射之地，所以择士者。

⑬庄：谓庄子。文：谓文子。在唐代文子书盛行，故云。或谓“庄子之

文”，亦通。
⑭奂：文采灿烂。
⑮摅（shū）：舒也。

【译文】

弘农公杨凭任潭州刺史三年，以东泉为源头建造成东池，东池方圆有九里。池岸高突而伸进池中的地方，在水的环绕下就像是开了缺口的玉玦。池中最美的景致就在这里。

杨大人说：“要不是超脱世俗而乐守圣贤之道的人，不应该享受这里的景物。”最后把它授予宾客中最优秀的人。

谯郡的戴简，为他建造了一座房子让他居住。戴氏堂建成以后，东边的景致就更加奇异了。从远处眺望戴氏堂，好像船舰连在一起，随池中波浪的起伏而上下浮动。走进戴氏堂，俯视池面，岸上的所有景物都倒映在池中，上下映衬使人感到更加空旷迷茫而隐约不清。在东池旁种植松柏杉槠各种树木，在池水当中种上菱芡荷花，树木繁茂，林荫遍地，菱芡荷花绽开鲜艳的花朵。凡是观赏漫游的美好景致，都集中在戴氏堂了。

戴先生曾经因为他的文章德行而多次被观察使举荐给朝廷，可是他的志向却不在做官。他与人交往，谦虚退让，受到观察使的尊宠，也不因此而自高自大，他难道是超脱世俗了吗？他喜欢孔子的著作，也涉猎《庄子》《文子》，没有不总揽于心的。以道家所说的虚静精神状态为最高境界，得到谦虚受益的道理，他乐于道家学说啊！贤能者举荐的人一定也是贤能的。被弘农公选中，而独自享受这个地方的美景，难道是容易得到的吗！地方虽然好，再得到合适的人居住在这里，那么山就好像是增加土石而加高了，水就好像是经过开辟而加宽了,堂还没来得及装饰就已经明艳照人了。

戴先生以泉水池塘作为宅地居所,以美丽景物作为朋友弟子,抒发幽雅的情趣,发扬精纯的品性,每天与它们相乐相娱,那么他的品性更加高尚,文章更加俊美,学问思想更加盛大,这是二者互相促进的缘故。他既然已经美在内心,又扬名于社会,我担心他超脱世俗的志向不能实现了。

君子说弘农公做潭州刺史,把州事治理得很好,建造东池使得此处景致更加美好,又把东池授予合适的人,这难道不是举措行动都合于时宜吗!从戴氏堂这件事情上,可以看出扬先生的德行,不可以不记下来。

【题解】

这篇文章亦题《桂州裴中丞作訾家洲亭记》，是作者应人之请而作的记。文章立意深刻，在对訾家洲亭的景色描绘中，寄寓了自己怀才不遇的慨叹和求荐望举的希冀，同时也表达了作者旷达的人生态度。

桂州訾家洲亭记[①]

【原文】

大凡以观游名于代[②]者，不过视于一方。其或傍达左右，则以为特异。至若不骛[③]远，不陵危，环山洄江，四出如一，夸奇竞秀，咸不相让，遍行天下者，唯是得之。

桂州多灵山，发地峭坚，林立四野。署之左曰漓水[④]，水之中曰訾氏之洲。凡峤[⑤]南之山川，达于海上，于是毕出，而古今莫能知。

元和十二年，御史中丞裴公[⑥]来莅兹邦，都督二十七州诸军州事，盗遁奸革，德惠敷施，期年[⑦]政成。而当天子平淮夷，定河朔，告于诸侯[⑧]。公既施庆于下，乃合僚吏，登兹以嬉。观望攸长，悼前之遗。于是厚货居氓，移于闲壤。伐恶木，刜奥草[⑨]，前指后画，心舒目行。忽焉若飘浮上腾，以临云气。万山西向，重江东隘。联岚[⑩]含辉，旋视具宜。常所未睹，倏然[⑪]互见。以为飞舞奔走，与游者偕来。乃经工庀材[⑫]，考极相方[⑬]，南为燕亭，延宇垂阿，步檐更衣，周若一舍。北有崇轩，以临千里。左浮飞阁，右列闲馆。比舟为梁，与波升降。苞漓山，含龙

宫[14],昔之所大,蓄在亭内。日出扶桑[15],云飞苍梧[16]。海霞岛雾,来助游物。其隙,则抗月槛于回谿,出风榭于篁[17]中。昼极其美,又益以夜。列星下布,颢气回合。邃然[18]万变。若与安期、羡门[19]接于物外。则凡名观游于天下者,有不屈伏退让,以推高是亭者乎!

既成以燕,欢极而贺。咸曰:昔之遗胜概者,必于深山穷谷,人罕能至,而好事者后得以为己功;未有直治城,挟阛阓[20],车舆步骑,朝过夕视,讫千百年,莫或异顾,一旦得之,遂出于他邦,虽博物辩口,莫能举其上者。然则人之心目,其果有辽绝特殊而不可至者耶。盖非桂山之灵,不足以瑰观;非是洲之旷,不足以极视;非公之鉴,不能以独得。噫!造物者之设是久矣,而尽之于今,余其可以无籍乎。

【注释】

①桂州:今广西桂林。訾家洲亭:其洲为訾姓者之业,故名。

②代:犹言“一代”。

③骛(wù):驰逐。

④漓水:源出广西“华南第一峰”桂林,曰桂江。

⑤峤:南越方言谓山之锐而高者。

⑥裴公:名行立。时为桂州观察使。

⑦期年:周年也。

⑧天子平淮夷,定河朔,告于诸侯:元和十二年事。

⑨刜(fú):斫也。奥草:积草也。

⑩岚:山气也。

⑪倏然：疾貌。
⑫经：度量也；经营也。庀(pǐ)：具也，备也。
⑬极：屋脊之栋。方：方向。
⑭龙宫：水底龙王所居之宫。此极言其深也。
⑮扶桑：传说为日出处。
⑯苍梧：山名。在今湖南宁远县。相传舜死于此。
⑰篁：竹林。
⑱邃然：深远之貌。
⑲安期、羡门：皆古仙人名。
⑳阛阓(huán huì)：集市。

【译文】

大凡以观赏游览而著称于一代的名胜，不过局限在一个地方，有的能够旁及周围，就被认为是特别突出的了。至于不必远道跋涉，不必登高临险，山环水抱，四面风景一样优美，争奇竞秀，各不相让，遍行天下而无处能比的景观，只有这里能称得上。

桂州有许多钟灵毓秀的山，拔地而起，峭然耸立，遍布郊野。州衙左边有条漓江，江中有一片陆地叫作訾家洲。大凡岭南的山川，直通大海的，都在这里出现了，但古往今来没有人知道。

元和十二年，御史中丞裴公来到桂州，总管二十七州的军政大事。从此盗贼遁迹，奸邪扫清，德行惠政，遍施于民，到任一年，政教有成，人民富庶。当时正值天子平定淮夷、河朔的叛乱，告谕天下百官，裴公为表示庆贺，便聚集同僚属吏，登上訾家洲游玩。他四处观望了很久，深为这里的风光以前为人所忽略而遗憾。于是他付给洲上的居民很多钱，让他们搬到别的空地上去住，然后伐掉恶木，砍光荒草，前前后后指挥谋划，使这里的景色变得赏心悦目。面对美景，人们飘忽像飘浮在空中，腾云驾雾，凌虚驭气。这里群山环抱，两侧江水夹流，如捆束住关隘般的訾家洲，山岚江雾，隐含光辉，环视四周，处处宜人。平常所未看到的景致，突然都出现在眼前，好像是飞舞着、奔跑着，同游览的人一同来到。于是裴公招集工匠，筹集材料，考察方位，确定施工方案。在南面建起一座燕亭，伸展的屋宇，下垂的屋檐，走廊、休息室相连，四周仿佛是一所房屋。北面建起一座高楼，用来登临、眺望远方。左边浮起飞阁，右边列着闲馆。在江面上排列小舟联成桥梁，随波起伏。视野包含着漓山，涵容着龙宫，往日以为很大的东西，现在仿佛都藏在亭中。太阳从东方升起，云烟向西方飞去，海上的霞光，岛上的雾气，都来增添景致。在这些景物的空隙之处，则有月槛耸立在曲折的溪流之间，风榭显露在幽静的竹林之内。白天的风光已经够美了，又加上夜晚另有一番景象。群星密布，四周都充满了洁白清新之气，深远幽静，瞬息万变，人们好像和安期、羡门一起超脱于尘世之外。那么，凡是以观游而著称于天下的，还有不折服、不退让、不推崇这座亭子的吗？

亭子落成，大开酒宴，酣畅至极，人们纷纷致贺。大家都说：以往被人们忽略的名胜，必定藏在深山幽谷、人迹罕至之处，好事者后来发现了它们，就当作自己的功劳，从来没有（哪一处）像现在这处胜景，面对着州城，靠近市区，车马行人早晚经过，千百年过去了，也没有谁对他另眼相看，一旦被发现，就高出其他地方，即使有人博览万物、能言善辩，也不能举出超过它的名胜。既然这样，那么人的心机眼光，果真有深远独到、旁人所不可及的吗？若无桂山的灵秀，就不能有此奇伟的景观；若无这訾家洲的空旷，就不能极目远望；若无裴公的眼光就不会有此独到的发现。唉，造物者设置这个地方已很久了，而它现在才尽显妙处，我难道能不记下来吗？

【题解】

本文又题《邕州柳中丞作马退山茅亭记》。公元 815 年，柳宗元被贬广西，任柳州刺史，其兄柳宽亦任职邕州。柳宽在邕州北郊马退山（又称四厦岭）上构建了一座颇为精巧的茅亭，柳宗元兴致勃勃地为其撰写《马退山茅亭记》。此文情景交融，文采飞扬，令人睹文思景，当为柳宗元的传世名篇。文中所说的“夫美不自美，因人而彰。兰亭也不遭右军，则清湍修竹，芜没于空山矣”，提出一个重要的美学命题：自然美因为人的欣赏而使其价值得到呈现，文学家发现和彰显了自然之美。

邕州马退山茅亭记[①]

【原文】

冬十月，作新亭于马退山之阳。因高丘之阻以面势，无欂栌节棁[②]之华。不斲椽[③]，不剪茨[④]，不列墙。以白云为藩篱，碧山为屏风。昭其俭也。

是山崒[⑤]然起于莽苍之中，驰奔云矗，亘数十百里，尾蟠荒陬[⑥]，首注大溪，诸山来朝，势若星拱，苍翠诡状，绮绾绣错，盖天钟秀于是，不限于遐裔也。

然以壤接荒服，俗参夷徼[⑦]，周王之马迹不至[⑧]，谢公之履齿不及[⑨]，岩径萧条，登探者以为叹。

岁在辛卯，我仲兄以方牧之命，试于是邦。夫其德及，故信孚，信孚，故人和，人和，故政多暇。由是尝徘徊北山以寄胜概。乃塈，乃涂，作我攸宇。于是不崇朝而木

工告成。

每风止雨收，烟霞澄鲜，辄角巾鹿裘[10]，率昆弟友生冠者[11]五六人，步山极而登焉。于是手挥丝桐，目送还云，西山爽气，在我襟袖，以极万类，揽不盈掌。

夫美不自美，因人而彰。兰亭[12]也不遭右军，则清湍修竹，芜没于空山矣。是亭也僻介闽岭，佳境罕到；不书所作，使盛迹郁堙，是贻林涧之愧。故志之。

【注释】

①邕州：今广西南宁。马退山：在城北十五里。

②欂栌(bó lú)：斗拱。棁(zhuō)：梁上短柱。

③椽(chuán)：屋上承瓦之材。

④茨(cí)：盖屋之茅苇。

⑤崒(zú)：山峰高险。

⑥荒陬(zōu)：僻远之地。

⑦徼：边塞。

⑧周王：周穆王也。尝乘八骏西游，见西王母于瑶池。

⑨谢公：谢安，喜游山水。齿：木屐底之齿也。

⑩角巾：巾之有棱角者，隐士之服。鹿裘：以鹿皮为裘。《列子》："荣启期鹿裘带索。"

⑪冠者：古者二十曰"冠"。《论语》："冠者五六人，童子六七人，浴乎沂，风乎舞雩。"子厚语盖本此。

⑫兰亭：在今浙江绍兴。晋王羲之曾宴游其地，作《兰亭序》。

【译文】

这年冬天十月份，在马退山的南面修建了一个新亭子。亭子因高山的阻碍形成现在的面势，没有斗拱梁柱的浮华。（亭子）没有砍削椽子，没有修剪亭顶上的茅草，没有修建四周的墙，把白云当作篱笆，青山当作屏风，来彰显它的俭朴。

这座山高高耸立在茫茫群山之中，直插云霄，绵延几十近百里，山之尾在僻远之地，山之首注入大溪之中，四周群山朝向着它，那情形好像众星拱月。大自然秀美之景聚集在这里，不因地处边远而阻隔。

但因为这儿与荒僻之地接壤，风俗与东部边界之地夹杂，周穆王的远游之马未曾来过，谢灵运的足迹也没到过这里，山路寂寥冷落，登山探寻的人也为此而慨叹。

辛卯年（元和六年），我二哥获命担任当地长官，来到这个地方试任。因为他实施德治所以得到百姓的信任，得到信任就政通人和，政通人和之后就有更多闲暇时间。因此他常常流连于马退山，寄怀于这里的美景。（他）就筑围墙涂泥浆，建造自己安适的房屋，因此，在很短时间内就建造完成了。

每当风停雨驻，空气清新的时候，（他）就戴上头巾穿上便服，带领兄弟朋友弟子五六人，爬上山顶登上茅亭。（他们）就手弹着琴，眼望着环绕身边的流云，日落时的美妙景象，在我胸怀之中，望尽远处的自然万物，收揽过来还放不满手心。

那些美丽的事物不是因为本身美丽而闻名，而要借助人（的欣赏与活动）才得以扬名。（比如）兰亭，如果没有遇到王羲之，那么它清澈的急流和修长的竹子，也将荒芜和隐没在空山之中了。这座亭子，身处岭南偏远之地，是美景但人迹罕至，（如果我）不记下（我仲兄）在这座山上建造的亭子的事，会使美好的景观湮没，这将留下愧对山林溪水的遗憾。所以写下这篇记。

【题解】

本文又题《永州韦使君新堂记》，作于 812 年（元和七年）。当时作者任永州司马，刺史韦宙是他的顶头上司。在韦使君新堂落成的时候，作者以其生花的妙笔，道出了韦使君的乔迁之喜、清明之治，让人心生一种顺应自然的美感，积极向上的激情。文章记述了韦使君修建新堂的过程和前后的深刻变化，赞颂了他居高望远、顺应民情、铲除残暴、废除贪污、保护贤良和富民的政策。这些过誉之词实则表现了柳宗元对如何做好一方官员的看法，寓示了在被贬谪的困苦中他仍然坚持政治改革的主张和理想，表现了他远大的政治抱负。文章立意新颖，结构严密，辞采清丽，画面鲜明，音韵优美，是柳宗元的古文名篇之一。金圣叹评论此文："奇特在起笔，斗地作二反一落，如槎枒怪树，不是常观。"

永州新堂记

【原文】

将为穹[1]谷、嵁[2]岩、渊[3]池于郊邑之中，则必辇[4]山石，沟涧壑，凌绝崄阻，疲极人力，乃可以有为也。然而求天作地生之状，咸无得焉。逸其人，因其地，全其天[5]，昔之所难，今于是乎在。

永州实惟九疑[6]之麓。其始度土者，环山为城。有石焉，翳于奥草[7]；有泉焉，伏于土涂。蛇[8]虺之所蟠，狸鼠之所游。茂树恶木，嘉葩毒卉，乱杂而争植。号为秽墟。韦公[9]之来既逾月，理甚无事。望其地且异之。始

命芟[10]其芜，行其涂，积之丘如[11]，蠲[12]之浏如[13]。既焚既酾[14]，奇势迭出。清浊辨质，美恶异位。视其植，则清秀敷舒；视其蓄，则溶漾纡余。怪石森然，周于四隅，或列或跪，或立或仆。窍穴逶邃，堆阜突怒。乃作栋宇，以为观游。凡其物类，无不合形辅势，效伎[15]于堂庑之下。外之连山高原，林麓之崖，闲厕隐显。迩延野绿，远混天碧，咸会于谯门[16]之内。已乃延客入观，继以宴娱。

或赞且贺曰：见公之作，知公之志。公之因土而得胜，岂不欲因俗以成化；公之择恶而取美，岂不欲除残而佑仁；公之蠲浊而流清，岂不欲废贪而立廉；公之居高以望远，岂不欲家抚而户晓。夫然，则是堂也，岂独草木土石水泉之适欤，山原林麓之观欤！将使继公之理者，视其细，知其大也。

宗元请志诸石，措诸屋漏[17]，以为二千石楷法[18]。

【注释】

①穹：本为圆形隆起状，但此处谓圆形凹下而深也。盖反言之。

②嵁(kān)：不平貌。

③渊：深。

④輂：以车载物。

⑤全其天：犹云保全其天真。

⑥九疑：山名，又作九嶷，在今湖南宁远县南。

⑦奥草：积草。

⑧虵：同“蛇”。

⑨韦公：名宙，时为永州刺史。

⑩芟(shān):刈草。
⑪丘如:犹言如丘。
⑫蠲(juān):除去之也。
⑬浏如:水清貌。
⑭酾(shī):漉酒也。此处谓分水之流。如漉酒也。
⑮伎:巧。
⑯谯门:城楼。
⑰屋漏:《尔雅》中说,西北隅谓之屋漏。通行本作"壁偏",疑为后人所妄改。
⑱二千石:官名。刺史称二千石。楷法:犹言模范。

【译文】

如果打算在城邑营造幽谷、峭壁和深池,那就必须运载山石,开凿山涧沟壑,逾越险阻,耗尽人力,才可能办到。可是要想有那种天造地设的景致,则不能做到。而不必耗费民力,顺应地形,且能保持天然之美,这种在过去很难办到的事情,如今在这里出现了。

永州在九嶷山麓,最初在这里测量规划的人,也曾环绕着山麓建起了城市。这里有山石,却被茂密的草丛遮蔽着;这里有清泉,却埋藏在污泥之下,成了毒蛇盘踞,狸鼠出没的地方。嘉树和恶木,鲜花与毒草,混杂一处,竞相疯长。因此被称为荒凉的地方。

韦公来到永州,过了一个月,州政大治,没有多少事情。望着这块土地,感到它很不平常,才让人铲除荒草,挖去污泥。铲下来的草堆积如山,疏通后的泉水晶莹清澈。烧掉了杂草,疏通了清泉,奇特的景致层出不穷。清秀和污浊分开了,美景代替了荒凉。看那树木,则清秀挺拔,枝叶舒展;看那湖水,则微波荡漾,曲折萦回。怪石森然繁密，环绕四周。有的排列成行，有的如同跪拜，有的站立，有的卧倒。石洞曲折幽深，石山突兀高耸。于是在此建造厅堂，作为观赏游玩的地方。所有的怪石无不适应地形地势，献技于堂庑之下。新堂的外边，高原和山连接，林木覆盖的山脚悬崖，穿插交错，或隐或现。绿色的原野从近处伸向远方，跟碧蓝的天空连成了一体。这一切，都汇集在门楼之内。新堂盖好后，使君便邀请客人前来参观，接着又设宴娱乐。

有的人边赞誉，边祝贺说："看到您修建这新堂，便知道您的心志。您随着地势开辟出胜景，难道不就是想顺着当地的风俗来形成教化吗？您铲除恶木毒草而保留嘉树鲜花，难道不就是想铲除凶暴而保护仁者吗？您挖除污泥而使清泉流淌，难道不就是想除去贪污而提倡廉洁吗？您登临高处而纵目远望，难道不就是想让每个家庭都安定和富饶吗？既然这样，那么建这个新堂难道仅仅是为了草木土石清泉流水怡人心意，或是为了观赏山峦、原野和树林的景色吗？该是希望继使君后治理这个州的人，能够通过这件小事，懂得治民的大道理啊。"

宗元请求把这篇记文镌刻在石板上，嵌在墙里，编入书中，作为刺史的楷模法式。

【题解】

这篇文章亦名《永州崔中丞万石亭记》。万石亭，在永州零陵县，为唐永州刺史崔能所建。元和十年(815)正月五日，柳宗元写下了《永州崔中丞万石亭记》，记叙了刺史崔能在万石山上建游亭一事，并命名为万石亭，歌颂了崔能的政绩。

永州万石亭记

【原文】

御史中丞清河男崔公来莅永州[①]，闲日，登城北墉[②]，临于荒野丛翳[③]之隙，见怪石特出，度其下必有殊胜，步自西门，以求其墟。伐竹披奥[④]，欹仄[⑤]以入，绵谷跨溪；皆大石林立，涣[⑥]若奔云，错若置棋，怒者虎斗，企者鸟厉。抉其穴，则鼻口相呀[⑦]；搜其根，则蹄股交峙[⑧]。环行卒愕[⑨]，疑若搏噬。于是刳辟朽壤[⑩]，剪焚榛薉[⑪]，决浍沟[⑫]，导伏流，散为疏林，洄为清池。寥廓泓渟[⑬]，若造物者始判清浊，效奇于兹地，非人力也。乃立游亭，以宅厥中。直亭之西，石若掖[⑭]分，可以眺望。其上青壁斗[⑮]绝，沉于渊源，莫究其极。自下而望，则合乎攒峦[⑯]，与山无穷。

明日，州邑耋老[⑰]，杂然而至。曰："吾侪生是州，艺[⑱]是野，眉龙齿鲵[⑲]，未尝知此。岂天坠地出，设兹神物，以彰我公之德欤！"

既贺而请名。公曰："是石之数，不可知也。以其多，

而命之曰万石亭。”

耋老又言曰：“懿夫！公之名亭也。岂专状物而已哉！公尝六为二千石[20]，既盈其数然；而有道之士，咸恨公之嘉绩，未洽于人。敢颂休声，祝公于明神。汉之三公，秩号万石[21]；我公之德，宜受兹锡。汉有礼臣，惟万石君[22]；我公之化，始于闺门。道合于古，佑之自天。野夫献辞，公寿万年。”

宗元尝以笺奏隶尚书[23]，敢专笔削[24]以附零陵故事[25]。时元和十年正月五日记。

【注释】

①御史中丞：官名。清河：地名。崔公：崔能。

②墉：小城。

③丛翳：树木隐蔽处。

④奥：谓奥草。积草。

⑤仄：同侧。欹仄：偏邪。

⑥涣：散。

⑦呀：张口。

⑧峙：屹立。

⑨卒愕：仓卒惊愕之貌。

⑩刳(kū)：剖。朽壤：草木腐烂之地。

⑪薉：同“秽”。榛薉：谓芜杂之草木。

⑫浍沟：水道。

⑬廖廓：天空广阔貌。泓：水清貌。渟：水止也。

⑭掖：旁扶。

⑮斗：险峻。
⑯攒：聚。峦：山峰迂回而连绵者。
⑰耋(dié)：老也。八十曰耋。
⑱艺：种植。
⑲龙：毛多杂。龙眉：犹言眉毛花白，谓年老。齿鲵：见于《诗》，“黄发鲵齿。”注：齿更生细者，寿征也。
⑳二千石：刺史官俸二千石，故称。
㉑万石：汉制，三公号称万石。
㉒万石君：汉石奋父子五人皆官至二千石，号为万石君。
㉓隶：隶属。子厚尝为礼部员外郎，故云。
㉔笔：谓记载。削：谓删除。
㉕零陵：今湖南零陵。故事：掌故也。

【译文】

御史中丞清河人崔公来到永州。闲暇的日子，(崔中丞)登上北边的城墙，观望到荒野上繁盛的树木之间，有怪石格外突出，忖度下面一定有特别的景致。于是从西门走出去寻找怪石的所在。他们砍倒竹子和积草，侧着身子走进去。(走近那里发现，)溪水穿越绵延的山谷，山谷中全是矗立的大石，疾流的溪水像天上奔跑的云彩，山谷中的石头错落着好像是摆放的棋子，有的石头威武如猛虎争斗，有的石头耸立如疾飞之鸟。挖出那洞穴，如同鼻口张开；探寻到洞的深处，那石头如同动物的蹄子大腿交相屹立，绕洞行走，奇异的景致让人惊愕，那石头好像要与人搏击，好像要将人吞噬。(这个时候，崔公让人)砍荆棘掘朽土，割掉并焚烧丛生的杂草，挖掘山间的水沟，疏导潜行于地下的流水，砍伐密集的树木使之分散成为疏林，疏导水流使水回旋形成清池。高远空旷的天空下池水清澈，如同造物者一开始就懂得分辨天地阴阳之气，将奇景呈现在这个地方，这里的奇景不是人力可以做到的。于是（崔中丞）建造游亭，又在那中间建造屋宇。面对亭的西边，（看到的）奇石如同胳肢窝一样分摆两边，可以互相眺望。亭子上方是青色的山壁、陡峭险峻，隐藏深远，不能探究到它的尽头。从下往上望，青崖像聚集的山峦连绵不尽，同山一样没有边际。

第二天，州县有声望的老人纷纷到来，老人们说："我辈生长在这个地方，在这片田野上耕种，现在眉毛花白，牙齿稀落了，（如此年老）都不知道有这个地方。难道是天上掉下来，地上冒出来的，还是上天设置出这等神奇的事物用来彰显崔公的德行？"

祝贺完毕就请崔公为亭子命名。崔公说："这些石头的数量，多得不可得知。我因为石头之多就给它取名叫万石亭。"

老人们又说："您为亭子起的名字真是美好啊，然而难道只是描绘石头而已！您曾经六次担任俸禄为二千石的官，（加起来）已经超过了万石。但是，有识之士，都为您的嘉绩没有滋润给更多的人而遗憾。现在我们冒昧赞颂您美好的名声，向神明祷告。汉朝的三公，俸禄号称万石。崔公的德行，应该享受这样的赏赐。汉朝有礼的臣子，就是万石君。崔公的教化，也是从家庭开始。思想与古代贤人相合，有来自上天的保佑。村野之人献上文辞，祝您长寿万年。"

宗元曾经上奏给尚书，冒昧地改动了一下，来附上零陵（今永州）崔公辟地建造万石亭之事的典故。元和十年正月五日记。

【题解】

三亭，为读书亭、湘秀亭、俯清亭。其故址在今湖南零陵县东山之麓。唐宪宗元和年间，薛存义开发山麓胜景而建亭。薛存义既善政治，又善于利用自然条件，辟为山水美境，建成一座优美的山水园。园中三亭，"陆降晦明，高者冠山巅，下者俯清池启更衣膳容，列置备具，宾以燕好，旅以馆舍。高明游息之道，具于是邑。"可知此园在当时已是具有较为完备设施的山水园林了。

零陵三亭记

【原文】

邑之有观游，或者以为非政[①]，是大不然。夫气烦则虑乱，视壅则志滞；君子必有游息之物，高明之具，使之清宁平夷，恒若有余，然后理达而事成[②]。

零陵县东有山麓，泉出石中，沮洳污涂[③]，群畜食焉，墙藩以蔽之，为县者[④]积数十人，莫知发视。

河东薛存义[⑤]，以吏能闻荆楚间[⑥]，潭部举之，假湘源令[⑦]；会零陵政尨[⑧]，赋扰，民讼于牧，推能济弊，来莅兹邑；遁逃复还，愁痛笑歌，逋租匿役，期月[⑨]办理，宿蠹藏奸，披露首服。民既卒税，相与欢归道途，迎贺里闾，门不施胥吏之席，耳不闻鼙鼓[⑩]之音，鸡豚糗醑[⑪]，得及宗族。州牧[⑫]尚焉，旁邑仿焉。然而未尝以剧自挠[⑬]，山水鸟鱼之乐，淡然自若也。乃发墙藩，驱群畜，决疏沮洳，搜剔山麓，万石如林，积坳为池。爰有嘉木美卉，垂水藂[⑭]峰，珑

玲[15]萧条，清风自生，翠烟自留，不植而遂。鱼乐广闲，鸟慕静深，别孕巢穴，沉浮啸萃，不蓄而富。伐木坠江，流于邑门，陶土以埴，亦在署侧，人无劳力，工得以利。乃作三亭，陟降晦明。高者冠山颠，下者俯清池。更衣膳饔，列置备具。宾以燕好，旅以馆舍。高明游息之道，具于是邑，由薛为首。

在昔裨谌[16]，谋野而获，宓子弹琴而理[17]；乱虑滞志，无所容入。则夫观游者果为政之具欤！薛之志其果出于是欤！及其弊也，则以玩替政，以荒去理，使继是者咸有薛之志，则邑民之福，其可既乎！

余爱其始，而欲久其道，乃撰其事以书于石。薛拜手曰："吾志也。"遂刻之。

【注释】

①观游：谓游览地。非政：犹云"非善政"。

②"君子必有……事成"：说游览之益，与今人提倡公园同。

③沮洳(jù rù)：由腐烂植物埋在地下而形成的泥沼。污涂：泥污也。

④为县者：犹云"为县官者"。

⑤薛存义：见前《送薛存义之任序》。

⑥荆楚：今湖南、湖北及四川一部分之地。

⑦潭部：谓湖南观察使。湘源：唐县，属永州。

⑧龙：杂。

⑨期(jī)月：一月。

⑩鼛(gāo)鼓：见《周礼》："鼛鼓鼓役事。"即击鼓役民。

⑪糗(qiù)：熬米。醑(xǔ)：漉酒。

⑫州牧：州长官。

⑬剧：甚。事繁亦曰剧。挠：败。此谓败兴。

⑭藂：同“丛”。

⑮珑：今通作“玲珑”。

⑯裨谌(shèn)：春秋时人，郑大夫也。《左传》：“裨谌能谋，谋于野则获，谋于邑则否。”

⑰宓(fú)子：宓不齐，字子贱。春秋时人。为单父宰，鸣琴不下堂，而单父治。

【译文】

县城里有观赏游息的阁楼亭台，有人认为与政事无关，这种认识极不正确。心气烦躁就思虑混乱，视野狭隘就思维不敏捷。君子一定要有游乐场所，高雅的设施，使他清明宁静心境平和，常常能够舒适安逸，这样之后才能思路通顺办事有效率。

零陵县东有一处山脚，泉水从乱石中流出，低湿泥泞，各种牲畜在这里觅食，用墙壁篱笆来挡住它们，做县令的人累计有数十人，都不知道开发这个地方。

河东道的薛存义凭借为政的才能闻名于荆、楚一带，潭州(长沙郡)举荐他，代理湘源县令。恰逢零陵县政治混乱、赋税扰民，民众向郡守诉讼，要求推荐能够解决弊端的人，到这个县来当县令。(薛存义于是被长沙郡任命为零陵县县令。薛上任后，)外出逃难的人又回来了，忧愁痛苦的人笑语欢歌了；欠租的人、逃避劳役的人一个月内就回来申辩办理；一贯作恶隐藏罪行的人，也现身出来坦白服罪了。百姓交完赋税后，一起高兴地踏上归途，乡里(父老)迎接庆贺。百姓门前不用给催赋税的县吏设席，耳里听不到召集人训事的鼓声。鸡猪干粮美酒，(多余的)能够(拿出来)送给家族其他人。上级长官尊崇他，毗邻的县官仿效他。然而他并不曾因为政事繁多而使自己烦扰，他寄情于山水鸟鱼之乐，恬淡自如。他于是拆除那山泉附近的围墙篱笆，赶跑成群的禽兽，开掘疏通低湿之处使山泉流动，在山麓搜寻风景优美之处，发现一片石林，山坳里的积水形成了池塘。这就有了嘉树美花、瀑布映照山峰的美景，山间明澈，云气散漫，清风自起，烟霭漂浮，不用人力而为就能自然形成。鱼游乐于广阔悠闲的池塘，鸟依恋于安静幽深的山林；鱼在水穴中生育，在水面上出没；鸟在树巢中生育，在山林中鸣叫聚集。鱼鸟等动物不用人工蓄养就很繁富。砍伐树木放到江中，顺流而下就到城门；用于烧制陶制品和粗瓷器的高岭土和黏土，也就在县署周边。人不用耗费什么气力，工作就能够获利。于是建了三个亭子(读书亭)、湘绣亭、俯清亭，由于高低不同而阴明变化，高的建在山顶，低的建在清池边，日常生活用具一应俱全。有宴会招待宾朋，有旅馆留待旅客，高明的游玩休息之道，在这零陵县建立，是由薛存义为首开创的。

古代的裨谌在山野里思考就能获得好的结果，宓不齐在衙堂上弹琴而把地方治理得很好，混乱的思维、呆滞的思想，都不能容纳进，那么观赏游息的阁楼亭台，果真是政事所应具备的条件吗？薛存义的想法，果真是出于此吗？说到它的弊端，就是因为玩乐而荒废了政事，因为荒废了政事而放弃了治理。假使继薛存义为零陵县令的人都有他的志向，那么百姓的福气，怎么会有穷尽呢！

我喜欢从他开始的这种好风气，也希望薛存义正确处理好观游与为政的做法能长期保留，于是写下他的事迹并刻到石头上。薛存义跪拜说：“(这是)我的志向啊。”于是把此文刻记在石碑上。

【题解】

本文又名《连山郡复乳穴记》，作于元和四年(809)柳宗元贬谪永州期间。因文中所述之事发生在连州连山郡，故题中“零陵”实为“连州”之误。零陵属永州，据《唐书·地理志》载，连州连山郡贡钟乳。文中所记皆为连州事，石钟乳也是连州特产，与零陵无关。之所以出现误差，可能与崔敏、崔简同时出任连、永两州的刺史有关，姓名混淆以至于连带到地名错位。文章实为一篇辞浅义丰的寓言故事。作者寓教化于娓娓叙述之中，通过对比前任和现任刺史的施政行为及其效果，形象地凸显了施行仁政和礼治的重要意义，表明了柳宗元的为政理想。

零陵郡复乳穴记①

【原文】

石钟乳②，乳之最良者也。楚、越之山多产焉，于连于韶者③，独名于世。连之人告尽焉者五载矣。以贡，则买诸他部。

今刺史崔公④至，逾月，穴人来以乳复告。邦人悦是祥也，杂然谣曰：“甿⑤之熙熙，崔公之来。公化所彻，土石蒙烈⑥。以为不信，起视乳穴。”

穴人笑之曰：“是恶知所谓祥耶⑦？向吾以刺史之贪戾嗜利，徒吾役而不吾货⑧也，吾是以病而绐⑨焉。今吾刺史令明而志洁，先赖而后力，欺诬屏息，信顺休洽，吾以是诚告焉。且夫乳穴必在深山穷林，冰雪之所储，豺虎之

所庐，由而入者，触昏雾，扞龙蛇，束火以知其物，縻绳以志其返，其勤若是，出，又不得吾直[10]，吾用是安得不以尽告。今而乃诚，吾告故也。何祥之为！"

士闻之曰："谣者之祥也，乃其所谓怪者也。笑者之非祥也，乃其所谓真祥者也。君子之祥也，以政不以怪，诚乎物而信乎道，人乐用命，熙熙然以效其有，斯其为政也，而独非祥也欤！"

【注释】

①零陵：见上篇。

②石钟乳：泉水含石灰质，由岩隙下滴，日久凝结，下垂如乳，故名。可以为药，故官吏征之于民。

③连：连州，今在广东。韶：韶州，今广东韶关。

④崔公：名能。永州刺史。

⑤甿：同"氓"，民。

⑥蒙烈：谓受其惠。

⑦恶：何。耶：明本作"也"，古通用。

⑧货：货币。不吾货：谓不付钱。

⑨绐（dài）：欺。

⑩直：同"值"，价值。

【译文】

石钟乳，是乳中最好的。两湖与两广的山中盛产此物。（而）产于连州、韶州的石钟乳，（则）独自闻名于世。连州人报告说石钟乳没有已经五年了，若要进献朝廷，就从别的地方购买。

如今刺史崔公来到连州，过了一个月，专门以钻山洞采石钟乳为业的人前来报告，石钟乳又有了。当地的人对这件吉祥的事情很高兴，纷纷唱着歌谣说："百姓快乐，崔公来了。教化彻底，土石受惠，若是不信，来看乳穴。"

专门以钻山洞采石钟乳为业的人笑着说："这些人怎么知道这是所谓的祥瑞呢？以前我们因为刺史残暴贪财，叫我们白白劳作，而不付给报酬。我们因此恨透了他而欺骗他。现在，我们的刺史号令严明，品德高尚，先付给我利益，再叫我们出力，欺诈、诬陷的事没有了，讲信用，言行一致，(与百姓)友善融洽，我们因此便如实相告。加上石钟乳洞穴必定都在深山穷林之中，冰雪积聚，豺狼虎豹居住。自此而深入(洞中)的人，接触瘴气，抵御龙蛇。点起火把才能知道是什么东西，一路系上绳子，作为出洞的记号。像这样的辛苦，采出石钟乳后却又得不到我们应有的报酬，因此，我们怎么能不对他们说(石钟乳)已经没有了呢。现在刺史对我们很真诚，(所以)我们把真相讲出来，哪里是什么祥瑞啊！"

我听闻后就说："唱歌谣的人说它是祥瑞，是因为它是一件怪事。笑的人说它不是祥瑞，这才是真正的祥瑞。君子所认为的祥瑞是良好的为政之风，而不是神怪之事。待人接物要诚恳忠实，对于正确的政治主张要坚信不移，(这样，)人民会很高兴听命，凡是他们有的东西，他们会高高兴兴地献出来。这样的施政，难道不是祥瑞吗？"

【题解】

本文是柳宗元被贬永州期间所作的一篇游记。唐代之时，永州地区地处偏远，政令难达，尚未开发，人烟稀少。柳宗元被贬此地，心中难免抑郁幽怨，若是常人定要著文发怨，然而柳宗元在贬谪永州期间却未如此，反而将之暂时抛却脑后，在永州一地，寻山访水，建筑园林，并畅游其间，自得其乐，同时著述游记多篇，真可谓胸怀宽广，非常人所能及。

永州龙兴寺东丘记

【原文】

游之适，大率有二：旷如也，奥如也[①]，如斯而已。其地之凌阻峭，出幽郁，寥廓悠长，则于旷宜。抵丘垤[②]，伏灌莽，迫遽回合，则于奥宜。因其旷，虽增以崇台，延阁，回环日星，临瞰[③]风雨，不可病其敞也。因其奥，虽增以茂树，藂石，穹若洞谷，蓊[④]若林麓，不可病其邃也。

今所谓东丘者，奥之宜者也。其始，龛之外弃地，余得而合焉，以属于堂之北垂[⑤]，凡坳洼坻岸之状[⑥]，无废其故。屏以密竹，联以曲梁，桂桧松杉楩柟[⑦]之植几三百本，嘉卉美石，又经纬之[⑧]。俯入绿缛[⑨]，幽荫荟蔚[⑩]。步武错迕[⑪]，不知所出。温风不烁[⑫]，清气自至。小亭室，曲有奥趣。然而至焉者，往往以邃为病。

噫龙兴，永之佳寺也。登高殿可以望南极[⑬]，辟大门可以瞰湘流[⑭]，若是其旷也。而于是小丘，又将披而攘

之。则吾所谓游有二者,无乃阙焉,而丧其地之宜乎!

丘之幽幽,可以处休;丘之窅窅[15],可以观妙。溽暑[16]遁去,兹丘之下;大和[17]不迁,兹丘之巅。奥乎兹丘,孰从我游。余无召公之德,惧翦伐之及也[18],故书以祈后君子。

【注释】

①旷如:远大之貌。奥如:深邃之貌。

②垤(dié):土堆。

③瞰(kàn):登高望下。

④蓊:荫蔽貌。

⑤垂:堂之尽处近于阶者。

⑥坳洼:低下之地。坻:水中高地。

⑦楩柟(biān nán):皆木名。

⑧经纬之:使有秩序。

⑨缛:繁重之采饰也。

⑩荟蔚:草木繁密之貌。

⑪错迕:交杂。

⑫烁:以火销金。此处谓热。

⑬南极:星名。

⑭湘流:湘水。

⑮窅窅(yǎo):深远之貌。

⑯溽暑:湿热。

⑰大:同“太”。大和:天地冲和之气。

⑱“余无召公……之及也”:事见《诗经·召南》。召伯巡行南国,曾舍

于甘棠之下，后人思其德而不忍剪伐其树，为诗歌之。

【译文】

适宜游览的地方，大致上分为两类：或者是开阔通畅（的地方），或者是幽秘深邃（的地方），不过就像这样罢了。那些山形陡峭，草木稀疏，地域空旷宽大而又辽阔深长的地方，就是具有开阔通畅特点的地方；那些山丘广布，草木广布，地域狭小而又曲折回环的地方，就是具有幽秘深邃特点的地方。因为它的开阔通畅，即使在其间增设高大的亭台和绵延的阁道，顾首四周也能看见星辰的回转，俯首向下也能看见风雨的运作，这样并不会使它的开阔通畅受到损害。因为它的幽秘深邃，即使在其间布设丰茂的树丛和层叠的岩峦，使它的顶部如同洞穴一般幽深，使它内部如同山林一般浓荫，这样也不会使它的幽秘深邃受到损害。

现今（我们）所说的东丘就是一个深邃奥秘的地方。开始时，它是寺庙之外的废地，其后我获得了它，并加以整治，又将它连接到佛堂的北边。凡是那些地貌高低起伏的地方，都没有毁坏它的原貌，并栽植许多翠竹为之荫蔽，又用曲折回环的小道将其连接，还种植了近三百多棵桂树、桧树、松树、杉树、楩树、楠树等树木，而其间依序放置的鲜花奇石，更使小园显得条理有序。低头走入丰茂的林丛中，四周草木繁盛绿荫浓密，树石风景随移动而变换，不知道是从哪里出现的。温和的风不时吹拂而来，清新的空气也随之而至，虽然这里只有水亭陋室，但其环境清幽深邃奥秘。然而到达这里的人却常常把它的幽秘深邃当作弊病。

啊！龙兴寺是永州地区的著名寺庙。登上高高的神殿可以望见南方极远的地方，靠近巍峨的寺门可以俯瞰流动的湘江，这就是它开阔通畅的地方。但是这座小丘,却又使这种开阔通畅的特点受到损害。那么我所说的游览胜地两种特点具有的,龙兴寺恐怕就会产生缺失,并进而丧失它的特点吧?

幽静葱茏的东丘,可以让人停留休憩;深邃曲折的东丘,可以让人观览品读。在东丘之下,盛夏中的湿热之气一一消散在东丘之上,天地间的冲和之气万年不变。唉,如此幽秘深邃的东丘啊,谁又会来和我一起游赏呢?我没有召公那样的高尚品德,恐惧谗言迫害的到来,因此写下这篇游记来告知后代的君子们。

【题解】

法华寺位于永州城东隅之东山，是柳宗元初贬永州时常去游览、交友的地方，更是他的精神寄托之地。本文写于元和二年(807)，是柳宗元贬谪永州的第三年。柳当时住龙兴寺，常来法华寺游览，与僧人觉照等人交往，于是在寺西建西亭，并写文赋诗志胜。文章叙述了构建西亭的缘由与经过，抒发了作者对佛家所说的觉悟和观照的理解。

永州法华寺新作西亭记

【原文】

法华寺居永州，地最高。有僧曰觉照。照居寺西庑。下庑之外，有大竹数万；又其外，山形下绝。然而薪蒸筱簜[①]。蒙杂拥蔽。吾意伐而除之，必将有见焉。

照谓余曰："是其下有陂池芙蕖，申以湘水之流，众山之会，果去是，其见远矣。"

遂命仆人持刀斧，群而翦焉。丛莽下颓，万类皆出。旷焉，茫焉，天为之益高，地为之加辟，丘陵山谷之峻，江湖池泽之大，咸若有增广之者。夫其地之奇，必以遗乎后，不可旷也。

余时谪为州[②]司马，官外常员而心得无事，乃取官之禄秩以为其亭。其高且广，盖方丈者二[③]焉。或异照之居于斯，而不蚤[④]为是也。

余谓：昔之上人者，不起宴坐，足以观于空色之实，而

游乎物之终始，其照也逾寂，其觉也逾有[5]。然则向之碍之者，为果碍耶；今之辟之者，为果辟耶！彼所谓觉而照者，吾讵知其不由是道也。岂若吾族之挈挈[6]于通塞有无之方以自狭耶。

或曰：然则宜书之。乃书于石。

【注释】

①蒸：细薪。筱（xiǎo）：细竹。簜（dàng）：大竹。

②州：永州。

③二：明刊本作“一”，疑误。

④蚤：同“早”。

⑤“昔之上人……也逾也”：空色、照、寂、觉、有等字，皆佛书中语。

⑥挈（qiè）：刻。此谓固执。

【译文】

法华寺在永州城的最高处。有个叫觉照的僧人，住在法华寺西边的廊屋。廊屋外边有数万株粗大的竹子，再外边，山势渐渐消失。但是（这里）大小粗细的木柴与竹子，混杂在一起，遮住了视线。我打算把这些都砍伐并清除掉，（相信）在这里一定会有（新的）发现。

觉照对我说：“它的下面有池塘荷花，湘水的支流，群山的聚合得以伸展，如果清除掉这些，那么所能看见的就很远了。”

（我）于是命令仆人们拿着刀斧，一起剪除这些。一丛丛密密的杂草与竹子扑倒在地，万种风景都出来了。空旷，苍茫，天因此越发地高了，地因此更加透彻了，丘陵山谷的险峻，江湖池泽的阔大，都仿佛使它们更增添广大了。这个地方的奇特，一定会留给后人，不可使它荒废。

我当时贬谪为永州司马，(属于)官职外的普通一员，因而内心没有什么要事，于是就拿出我的俸禄在这里建亭子。亭子高且大，大约有丈二见方。有人认为觉照住在这里，为什么不早点这样做呢。

我说：从前的僧人，打坐不起，就能够察透空与色的本质，游弋于万物的开始与结束，他的观照就更加空寂，他的觉悟就更加有为。然而以前使它遮蔽的，是业果遮蔽啊；现在使它透彻的，是业果透彻啊！他所说的觉悟和观照，我怎么知道它不是由这个方法获得的呢。怎么能像我等固执于畅通与阻塞、有和无的观念以致使自己变得狭隘啊。

有人说：既是这样就应当记录下来。于是(我)就把此文刻记在石碑上。

【题解】

本文是柳宗元初到永州时所作。柳宗元初贬永州，住在龙兴寺，曾与和尚交往，探讨佛理。龙兴寺旧址在潇水东岸，永州芝山城南太平门内。当年寺里有和尚重巽，即巽公，是湛然的再传弟子，与柳交往颇深。柳于是作此文以赠巽上人，表达了作者从佛学中寻求精神寄托的思想。

永州龙兴寺西轩记

【原文】

永贞年，余名在党人，不容于尚书省[①]，出为邵州，贬永州司马，至则无以为居，居龙兴寺西序[②]之下。

余知释氏之道且久，固所愿也。然余所庇之屋甚隐蔽，其户北向，居昧昧也。寺之居，于是州为高。西序之西，属当大江之流。江之外，山谷林麓甚众。于是凿西墉以为户，户之外为轩，以临群木之杪，无所不瞩焉。不徙席，不运几，而得大观。

夫室，向者之室也；席与几，向者之处也。向也昧，而今也显，岂异物耶！因悟夫佛之道：可以转惑见为真智，即群迷为正觉，舍大暗为光明。夫性岂异物耶！孰能为余凿大昏之墉，辟灵照之户，广应物之轩者，吾将与为徒。

遂书为二：其一志诸户外，其一以贻巽上人焉。

【注释】

①余名在党人，不容于尚书省：初，子厚为王叔文、韦执谊所器重，后叔文败，子厚以党于叔文，遭贬谪。

②序：堂侧厢房。按：观篇首数语，知此文为子厚初到永州时作。

【译文】

永贞年间，我的名字列在革新党派中，不能见容于尚书省，只好离开京师前往州郡，被贬谪为永州司马，到达永州后没有地方可以居住，便借住在龙兴寺西侧厢房里。

我了解佛教的教义已很久了，这本来就是我的愿望。我所居住的屋子非常隐蔽，它的窗户向北开着，屋内昏暗。龙兴寺的位置，在永州高处。西厢房的西边，正是浩浩汤汤的湘江流水。湘江之外，到处都是山谷、树林、山麓。于是，我就在西边墙上开了一个窗户，窗户外边建了一个长廊，靠近林木的细梢，没有什么不能看到的。（从此，我）不需要挪动座席，不需要搬运桌子，就可以看到盛大壮观的景象。

居室，还是从前的（那个）居室；座席与桌子，还在从前的（那个）位置。从前（室内光线）昏暗，如今却亮亮堂堂，难道是换了东西吗？因而（我）悟出了佛教的道理：可以转变迷惑的见解为无上的真智，使许多迷惑之众生走向成佛的真正觉智，舍弃昏暗而至佛之光明智慧。本性怎么会改变！谁能为我在大昏暗的高墙上开凿，辟出灵透观照的窗户，扩大顺应万物的廊轩，我将与他为伍。

于是（我把这篇文章）写了两份：一份记在窗户外边，一份赠予（永州龙兴寺僧人）重巽大师。

【题解】

本文是柳宗元随永州刺史韦宙前往黄神祠求雨时，游黄溪后所作，是作者游记中最为侧重记述游赏山水景致的作品。它作于元和八年(813)，是柳宗元被贬永州的第八个年头，这时的柳宗元抑郁激愤减少，思想深刻而趋于通达。他虽然壮心未泯，但对再获朝廷重用已不抱希望，心情显得平和，所以这篇《游黄溪记》所表现的作者是探幽赏奇，欣然自适，表面上没有发挥，实际怡然自信的形象。文章艺术老到，文浅意深，引人入胜，很有些永州桃花源记的味道。

游黄溪记

【原文】

北之晋[①]，西适豳[②]，东极吴[③]，南至楚、越[④]之交，其间名山水而州者以百数，永最善。环永之治百里，北至于浯溪，西至于湘之源，南至于泷泉，东至于黄溪东屯。其间名山水而村者以百数，黄溪最善。

黄溪拒[⑤]州治七十里。由东屯南行六百步，至黄神祠。祠之上，两山墙立，丹碧之华叶骈植，与山升降[⑥]。其缺者为崖峭岩窟。水之中，皆小石平布。

黄神[⑦]之上，揭[⑧]水八十步，至初潭，最奇丽，殆不可状。其略若剖大瓮，侧立千尺，溪水积焉。黛蓄，膏渟[⑨]，来若白虹。沉沉无声。有鱼数百尾，方来会石下。

南去，又行百步，至第二潭。石皆巍然，临峻流，若颏颔[⑩]龂腭。其下大石杂列，可坐饮食。有鸟，赤首，乌翼，

大如鹊，方东向立[11]。

自是又南数里，地皆一状。树益壮，石益瘦，水鸣皆锵然。

又南一里，至大冥之川，山舒，水缓，有土田。始，黄神为人时，居其地。传者曰："黄神，王姓，莽之世也[12]。莽既死，神更号黄氏，逃来，择其深峭者潜焉。"始莽尝曰："余，黄虞之后也。"故号其女曰黄皇室主。"黄"与"王"声相迩，而又有本，其所以传言者益验。神既居是，民咸安焉，以为有道，死，乃俎豆之[13]，为立祠。后稍徙近乎民。今祠在山阴溪水上。

元和八年五月十六日，既归为记，以启后之好游者。

【注释】

①晋：今山西省，为春秋时晋地。

②豳：今陕西郴县、旬邑一带，为商时豳国。

③吴：今江苏省，为春秋时吴地。

④楚、越：永州本楚地，而与广东相近；广东古为南越，故并称楚、越。

⑤拒：同"距"。

⑥丹碧之华叶骈植：通行本"丹碧"上有"如"字，非是。盖此乃直言华叶，不必云如。

⑦神："神"字疑是"祠"字之误。

⑧揭：摄衣涉水。

⑨渟(tíng)：水停滞。

⑩颏：音亥，平声，颐下也。龂(yín)：同"龈"，齿根也。齶(è)：齿根上下肉也。此皆形容石状。

⑪方东向立:朱子谓《山海经》所记异物,有云“东西向”者,盖以其有图画在前故也。子厚不知而效之,殊无谓也。
⑫莽:王莽,西汉末篡位者。莽之世:谓王莽之时。
⑬俎豆:祭器名。“俎豆之”意为祭祀。

【译文】

北到晋国,西到豳国,东到吴国,南到楚国和越国交界的地方,其中有名山名水的州郡,数以百计,永州是最美的。永州治下,方圆几百里,北至浯溪,西至湘江的源头,南至泷泉,东至东屯,其中有名山名水的村,数以百计,黄溪是最美的。

黄溪距永州城七十里。由东屯向南行走六百步,到达黄神祠。祠上方高山陡立如墙。山上生长着红花绿叶的树木,整齐地排列着,像人工种植的一样,随着山势起伏,没有树木的地方是陡崖和洞窟。溪水中都有小石头分布。

从黄神祠沿黄溪而上,撩起衣裳涉水,行走八十步,来到第一个水潭,这里最奇丽,几乎难以用语言来描绘和形容。水潭大致像一个剖开的大瓮,侧壁高达千尺。溪水在这里汇积,呈深青色,像凝聚的膏汁。流入潭中的水,就像一条白虹,深沉无声。有几百条鱼正聚集在石头下,游来游去悠闲自得。

再往南行走百步,来到第二个水潭。水潭旁边的岩石都高高耸立,前临湍急的水流,山石形状像人的下巴和牙齿,高低不平。潭下大石头杂错排列,平整得可以坐下来餐饮。石上有一只鸟,红首黑翼,大得像天鹅,正朝东面站立。

从这里又向南行几里,地势都是一个形状,一路上树木更加粗壮,山石更加瘦长,流水锵然有声。

再往南行一里，来到一大片的平野，这里山梁平坦，水流舒缓，依山傍水有土地田园。最初黄神作为普通人的时候，就居处在这个地方。有传闻说："黄神本来姓王，是王莽的后人。"王莽死后，黄神改姓黄，逃难来到这里，选择这幽深陡峭的山沟潜居下来。最初王莽曾说："我是黄帝、虞舜的后人。"所以称他的女儿为黄皇室主。"黄"与"王"读音相近，并且又有些事实依据，那些传言更有了凭证。黄神生前居住在这里的时候，老百姓都安居乐业，认为他是得道之人。黄神死后老百姓就祭祀他，为他修建了祠堂。后来就将祠堂稍作迁移，靠近居民较多的地方。现在的黄神祠就建在山北的黄溪河边。

元和八年五月十六日，游黄溪回来后，我就写下了这篇游记，给后代喜欢游山玩水的人来黄溪游览作为参考。

【题解】

这篇文章写于唐宪宗元和四年(809),为《永州八记》的第一篇。西山在今湖南零陵县西。此文记叙了作者发现和宴游西山的经过,描写了西山的怪特,语言清丽,结构完整,景和情完全融为一体,抒发作者了对怀才不遇的愤懑和现实丑恶的无奈之情。

始得西山宴游记

【原文】

自余为僇人[①],居是州[②],恒惴栗。其隟也,则施施[③]而行,漫漫[④]而游,日与其徒上高山,入深林,穷回溪,幽泉,怪石,无远不到。到则披草而坐,倾壶而醉;醉则更相枕以卧。意有所极,梦亦同趣。觉而起,起而归。以为凡是州之山水有异态者,皆我有也,而未始知西山之怪特。

今年九月二十八日,因坐法华西亭,望西山,始指异之。遂命仆过湘江,缘染溪,斫榛莽[⑤],焚茅茷[⑥],穷山之高而止。

攀援而登,箕踞[⑦]而遨。则凡数州之土壤,皆在衽席[⑧]之下。其高下之势,岈然[⑨],洼然[⑩],若垤[⑪],若穴。尺寸千里,攒蹙[⑫]累积,莫得遁隐。萦青缭白,外与天际[⑬],四望如一。然后知是山之特出,不与培塿[⑭]为类。悠悠乎与灏气俱,而莫得其涯;洋洋乎与造物者游,而不知其所穷。引觞满酌,颓然就醉,不知日之入。苍然暮色,自远而至。至无所见,而犹不欲归。心凝形释,与万化冥

合。然后知吾向之未始游，游于是乎始。

故为之文以志。是岁元和四年也。

【注释】

①僇(lù)：辱。僇人：犹言罪人。

②是州：指永州。

③施施(yì)：延，迟。

④漫漫：无拘检。

⑤榛莽：丛木曰榛，丛草曰莽。

⑥茷(fá)：草叶盛。

⑦箕踞：伸齐两足，席地而坐，其形如箕。

⑧衽席：卧席。

⑨岈(xiā)然：山深邃貌。

⑩洼然：低下之地。

⑪垤(dié)：小土丘。

⑫攒蹙：积聚之貌。

⑬际：接。

⑭培塿(lóu)：小山，土丘。

【译文】

我自从成为有罪的人，就居住在永州，常常恐惧不安。如有空闲时间，就慢慢地行走，无拘束地游玩。每日和那些同伴，上高山，入深林，走到曲折溪流的尽头。幽僻的泉水，奇异的山石，没有一处僻远的地方不曾到过。到了目的地就拨开杂草而坐下，倒尽壶中酒，一醉方休。醉了就互相枕着睡觉，睡觉了就做梦。心里有向往的好境界，梦里也就有相同的乐趣。睡醒了就起来，起来了就回家。我以为凡是这个永州山水中稍有特异的地方，我都游过了；可是我还未曾知道西山的奇异特别。

今年九月二十八日，我因坐在法华寺西亭，眺望西山，才指点着觉得它奇特。于是命令仆人渡过湘江，沿着染溪，砍伐荆棘，焚烧乱草，一直到山顶才停下。

（我们随后）攀援登上山顶，随意坐下观赏，附近几个州的土地，就全在我们的座席之下了。这几个州的地势高低不平，高处是深山，低处是洼地，像蚁丘，像洞穴，（看上去）只有尺寸之远，实际上有千里之遥。（这千里之内的景物）聚集、紧缩、累积在眼下，没有什么能够隐藏。青山萦回，白水缭绕，外与天边相接。向四面望去都是一样的景象。（登上山顶）后才知这座山的卓然耸立，与小土丘不一样。辽阔浩渺与天地间的大气合一而不能得到它的边际，悠然自得和大自然交游而不知它的尽期。（于是我们）拿起酒杯斟满酒，喝得东倒西歪地进入醉态，不知太阳下了山。灰暗的暮色，由远而至，直到什么也看不见了还不想返回。（我只觉得）思想停滞了，形体消散了，与自然界万物不知不觉地融为一体了。（游过西山）然后才知我以前不曾真正游赏过，真正的游赏是从这里开始的。

所以我把这次西山之游写成文章以记载下来。这一年是元和四年。

【题解】

这篇文章写于唐宪宗元和四年(809),《永州八记》的第二篇。钴鉧潭是潇水的一条支流冉溪的一个深潭,“潭”就是“渊”,南方方言叫“潭”。钴鉧意为熨斗,钴鉧潭的形状是圆的,像一个钴(圆形的熨斗),故取名为“钴鉧潭”。文中通过记叙钴鉧潭的由来、描绘水潭四周的景物,表达了作者希望能够摈弃尘世烦扰、摆脱官场险恶,使身心获得放松,并使精神获得解脱的思想感情。

钴鉧潭记[①]

【原文】

钴鉧潭在西山西。其始盖冉水自南奔注,抵山石,屈折东流,其颠委[②]势峻荡击,益暴啮[③]其涯,故旁广而中深,毕至石乃止。流沫成轮[④],然后徐行。其清而平者,且十亩。有树环焉,有泉悬焉。

其上有居者[⑤],以予之亟[⑥]游也。一旦款门[⑦]来告曰:“不胜[⑧]官租、私券之委积[⑨],既芟山而更[⑩]居,愿以潭上田,贸[⑪]财以缓祸。”

予乐而如其言。则崇其台,延其槛,行其泉,于高者而坠之潭,有声潨[⑫]然。尤与中秋观月为宜。于以见天之高,气之迥。孰使予乐居夷而忘故土者,非兹潭也欤!

【注释】

①钴鉧(gǔ mǔ):熨斗。此潭形似钴鉧,故名。

②颠委:犹言首尾。

③啮:侵蚀。

④流沫成轮:谓水泡。

⑤居者:居民。

⑥亟:多次。

⑦一旦:明本无"一"字。款门:叩门。

⑧胜:承担。

⑨委积:堆积,多。

⑩更:改。

⑪贸:交易。

⑫潨(cōng):水声。

【译文】

钴鉧潭,在西山的西面。它的源头大概是冉溪自南向北奔流如注,碰到山石阻隔,曲折向东流去;潭水的上游和下游水势湍急,撞击更加激荡,侵蚀钴鉧潭的岸边,潭边广阔而中间水深,水流冲荡到山石才停止。水流形成车轮般的漩涡,然后才缓缓而流。潭水清澈而平缓的地方,将近十亩,钴鉧潭四周有树木环绕,有瀑布垂悬而下。

山上居住的人,因我多次来游玩,一天早晨敲门来告诉我:"(我因为)无法负担越欠越多的官租私债,(没办法),想在山上锄草开荒而变更居所,并愿意卖掉我潭上的田,暂时缓解一下债务。"

我很高兴答应了他的话。我就加高台面,延伸栏杆,疏导高处的泉水使泉水坠落入潭中,发出了悦耳的声音。特别是到了中秋时节赏月更为合适,可以看到天空更高,视野更加辽远。是什么使我乐于住在这夷人地区而忘掉故土?难道不是因为这钴鉧潭?

【题解】

这篇文章是《永州八记》的第三篇，语言简约精炼、清丽自然，具有极高的艺术感染力。文章以托物言志、融情于景等写作手法，巧妙地将柳宗元被贬永州的愤慨与兹丘的遭遇融汇在一起，于静静的描绘中蕴藏一种生命的力量。

钴鉧潭西小丘记

【原文】

得西山后八日，寻山口西北道二百步，又得钴鉧潭。

西二十五步，当湍而浚者为鱼梁[①]。梁之上有丘焉，生竹树。其石之突怒偃蹇[②]，负土而出，争为奇状者，殆不可数。其嵚[③]然相累而下者，若牛马之饮于溪；其冲然角列而上者，若熊罴之登于山。丘之小不能一亩，可以笼而有之。

问其主。曰："唐氏之弃地，货而不售。"问其价。曰："止四百。"余怜而售之。李深源、元克己时同游，皆大喜，出自意外。即更取器用，铲刈秽草，伐去恶木，烈火而焚之。嘉木立，美竹露，奇石显。由其中以望：则山之高，云之浮，溪之流，鸟兽之遨游，举熙熙然回巧献技，以效兹丘之下。枕席而卧，则清泠之状与目谋，瀯瀯[④]之声与耳谋，悠然而虚者与神谋，渊然而静者与心谋。不匝旬而得异地者二，虽古好事之士，或未能至焉。

噫！以兹丘之胜，致之沣、镐、鄠、杜[⑤]则贵游之士争

买者,日增千金而愈不可得。今弃是州也,农夫、渔父过而陋之,贾四百,连岁不能售;而我与深源、克己独喜得之,是其果有遭乎!

书于石,所以贺兹丘之遭也。

【注释】

①湍:急流。浚:深。鱼梁:堰石障水,而空其中,以通鱼之往来,谓之鱼梁。

②偃蹇:飞腾屈曲之貌。

③嵚(qīn):石势耸立之貌。

④潆(yíng):水声。

⑤沣:水名。在今陕西。周武王迁都,依此水,号曰镐京。鄠(hù):汉县名。杜:汉时曰下杜,唐曰杜陵。三地皆在今陕西,为汉、唐时京畿要地。

【译文】

(我)找到西山后的第八天,沿着山口向西北走两百步,又发现了钴鉧潭。

钴鉧潭西面二十五步(的地方),在水流急而深处是一道坝。坝顶上有一座小丘,(小丘)上面生长着竹子和树木。小丘上的石头突出隆起、高然耸立,破土而出、争奇斗怪,几乎(多得)数不清。那些重叠着、相负而下的石头,好像是(俯身)在小溪里喝水的牛马;那些高耸突出、如兽角斜列往上冲的石头,好像是在山上攀登的棕熊。小丘很小,不到一亩,可以把它装到笼子里占有它。

(我)打听它的主人是谁,(有人)说:"这是唐家不要的地方,想出售却卖不出去。"(我)问它的价钱,(有人)说:"只要四百文。"我很喜欢(这个小丘),就(把它)买了下来。李深源、元克己这时和我一起游览,(他们)都非常高兴,(认为这是)出乎意料的收获。(我们)随即轮流拿起工具,铲割杂草,砍伐杂树,点燃大火把它们烧掉。美好的树木凸现起来了,秀美的竹子显露出来了,奇峭的石头呈现出来了。(我们)站在小丘中间眺望,(只见)高高的山岭、漂浮的云朵、潺潺的溪流、自由自在游玩的飞鸟走兽,全都欢快地呈巧献技,来为这个小丘效力。(我们在小丘上)枕着石头席地而卧,眼睛触及的是清澈明净的景色,耳朵触及的是淙淙潺潺的水声,精神感受到的是悠远空旷的浩然之气,心灵感受到的是恬静幽深的境界。不满十天(我)就得到了两处风景胜地,即使古代爱好山水的人士,也没有到过这地方吧。

嗨!凭着这小丘优美的景色,(如果)把它放到(京都附近的)沣、镐、鄠、杜(等这些繁华的地方),那么喜欢游赏的、争相购买的人每天增加千两黄金(购买)反而(恐怕)更加买不到。如今(它)被抛弃在(这荒僻的)永州,连农民、渔夫走过也鄙视它,售价(只有)四百文钱,一连几年也卖不出去。而唯独我和李深源、元克己因为得到它了而高兴,难道遇到这个小丘真的要靠运气吗?

(我)把这篇文章写在石碑上,用来祝贺(我和)这小丘的遇合。

【题解】

本文是“永州八记”中的第四篇，又名《小石潭记》，是一篇文质精美、情景交融的山水游记。全文193字，用移步换景、特写、变焦等手法，有形、有声、有色地刻画出小石潭的动态美，写出了小石潭环境景物的幽美和静穆。文章保持了《永州八记》一贯的行文风格，察其微，状其貌，传其神，含蓄地抒发了作者被贬后无法排遣的忧伤凄苦的感情。

至小丘西小石潭记

【原文】

从小丘西行百二十步，隔篁竹，闻水声，如鸣佩环。心乐之。伐竹取道，下见小潭，水尤清冽。全石以为底。近岸，卷石底以出。为坻①，为屿②，为嵁③，为岩。青树翠蔓，蒙络摇缀，参差披拂。潭中鱼可百许头，皆若空游无所依④；日光下澈，影布石上，佁⑤然不动；俶⑥尔远逝，往来翕忽，似与游者相乐。

潭西南而望，斗折蛇行，明灭可见其岸，势犬牙差互⑦，不可知其源。

坐潭上，四面竹树环合，寂寥无人。凄神寒骨，悄怆幽邃。以其境过清，不可久居，乃记之而去。

同游者：吴武陵、龚古、余弟宗玄；隶而从者：崔氏二小生，曰恕已，曰奉壹。

【注释】

①坻(chí):水中高地。

②屿(xù):水中小山。

③嵁(kān):山不平也。

④杨升庵谓此句本于《水经注》。按,《水经注》云:“渌水平潭,清洁澄深。俯视游鱼,类若乘空。”

⑤佁(yǐ):静止之貌。

⑥俶(chù):此处有突然之意。

⑦犬牙差互:形容岸势如犬牙之相错。

【译文】

从小丘向西走一百二十步,隔着一片竹林,听到有流水声,如环佩叮咚,心里不禁暗暗高兴。在竹丛中砍出一条通道,钻过去俯身见有一个小潭,潭水非常清澈。小潭由整块的巨石作底,近岸边石底上卷露出水面,形成一处处突出水面的高低、岛屿、高岩、巨石。小潭四周,青葱的树木,翠绿的藤蔓,覆盖缠绕,摇动连接,随风飘拂。

潭里大约有一百多条鱼,都好像悬空而游,毫无依托似的。阳光一直照到水底,那鱼的影子点点映在潭底石上,呆呆地一动也不动;忽然尾巴一扭游到远处,往来倏忽,好像在和游人取乐。

向小潭的西南方眺望,只见一条曲折蜿蜒的小溪,时隐时现。溪岸的形状像狗的牙齿那样参差不齐,无法探知它的源头。

我坐在潭边,四下里竹林和树木包围着,寂寥无人,使人感到心神凄凉,寒气透骨,幽静深远,弥漫着忧伤的气息。由于这地方环境太冷清,不可久居,所以留下标志就离开了。

同游的有吴武陵、龚古,堂弟宗玄;同去的是崔家的恕己和奉壹。

【题解】

本文写于唐宪宗元和七年(812),是《永州八记》的第五篇。文章写景中夹以抒情,情景交融,曲折地表现了作者对贬谪永州、待罪南荒的欲言又止、欲罢无能的凄苦的心境和对无限广阔、无限自由的美好环境的追求,抒发了他对丑恶现实的愤懑之情。

袁家渴记

【原文】

由冉溪西南,水行十里,山水之可取者五,莫若钴鉧潭。由溪口而西,陆行,可取者八九,莫若西山。由朝阳岩东南,水行,至芜江,可取者三,莫若袁家渴,皆永中幽丽奇处也。

楚、越之间方言,谓水之反流者为"渴",音若"衣褐"之"褐"。渴,上与南馆高嶂合,下与百家濑合。其中重洲、小溪、澄潭、浅渚,间厕曲折。平者深黑,峻者沸白。舟行若穷,忽又无际。有小山出水中。山皆美石,上生青丛,冬夏常蔚然。其旁多岩洞。其下多白砾。其树多枫柟石楠楩槠樟柚。草则兰芷。又有异卉,类合欢[①]而蔓生,轇轕[②]水石。每风自四山而下,振动大木,掩苒众草,纷红骇绿,蓊葧香气,冲涛旋濑,退贮溪谷,摇飏葳蕤,与时推移。其大都如此。余无以穷其状。

永之人未尝游焉,余得之,不敢专也,出而传于世。其地世主袁氏,故以名焉。

【注释】

①合欢：草名。

②轇轕(jiāo gé)：犹言“交加”也。

【译文】

从冉溪向西南，走水路十里远，山水风景较好的有五处，风景最好的是钴鉧潭；从溪口向西，走陆路，风景较好的有八九处，风景最好的是西山；从朝阳岩向东南，走水路到芜江，风景较好的有三处，风景最好的是袁家渴；这些都是永州幽深美丽奇异的地方。

楚、越两地之间的方言，水的支流叫作“渴”，读音就像衣褐的“褐”。渴的上游与南馆的高山会合，下游与“百家濑”汇合。在渴之中有重叠的岛屿(江河里边的岛屿)、小溪，有的地方水深，成为清澈的潭，有的地方水浅，露出小块的地，成为浅渚，两者之中还有水在那里曲折地流。深潭的水面平，呈深黑色，冲击石头的水像沸腾一样冒着白沫。船好像就走到了尽头，忽然又豁然开朗，变得宽阔无边。有座小山从水中露出来。山上都是好看的石头，上面生长着绿色的草丛，一年四季都浓密茂盛。山旁有许多岩洞。山下有许多白色的碎石；上山的树木多是枫树、柟树、石楠、楩树、槠树、樟树、柚树；小草则多是兰草、芷草，又有许多奇异的花卉，类似合欢但是长出许多茎蔓，缠绕着水中石头。常常有风从山上吹下，大树翻动着轻柔的众草，红花和绿叶像吃惊似的，香气浓郁；冲起波涛旋着水涡，从溪谷流进流出，摇动着繁密的花草，随着季节而变换。风景是这样。我没法都描述完。

永州没有人曾过来游玩，我来到了这里，不敢独自享受。回来写出文章告诉世人。这里土地的主人姓袁，所以我叫它“袁家渴”。

【题解】

这篇文章写于唐宪宗元和七年(812),是《永州八记》的第六篇,上承《袁家渴记》,下启《石涧记》。文章记述了作者沿渠探幽,追求美景的事,表达了作者探奇制胜,拓宽胸怀,追求胜景借以抒发胸中积郁之气的感情。

石　渠　记

【原文】

自渴[①]西南行,不能百步,得石渠。民桥其上。有泉幽幽然,其鸣乍大乍细。渠之广,或咫尺,或倍尺。其长,可十许步。其流,抵大石,伏出其下。

逾石而往,有石泓,昌蒲被之,青鲜[②]环周。

又折西行,旁陷岩石下。北堕小潭。潭幅员减百尺。清深多鯈[③]鱼。

又北,曲行纡馀,睨[④]若无穷,然卒入于渴。

其侧,皆诡石怪木,奇卉美箭。可列坐而庥焉。风摇其巅,韵动崖谷。视之既静,其听始远。

予从州牧得之,揽去翳朽,决疏土石,既崇而焚,既酾[⑤]而盈。惜其未始有传焉者,故累记其所属,遗之其人,书之其阳,俾后好事者求之得以易。

元和七年正月八日蠲[⑥]渠至大石,十月十九日逾石得石泓小潭,渠之美于是始穷也。

【注释】

①渴：指袁家渴。

②鲜：苔藓。

③鲦（tiáo）：白鲦鱼。

④睨：斜视。

⑤酾（shī）：漉酒。这里是说分水如沽酒。

⑥蠲（juān）：除去。这里是说除去杂芜。

【译文】

从袁家渴潭往西南走不到百步，就看见一个石渠，百姓在石渠上建了一座便桥。有一眼泉水幽静地流淌，它流淌时的声音时大时小。泉渠的宽度有时一尺，有时就有二尺宽，它的长度有十步左右。它的水流遇到一块大的石头，就漫过石头。

跳过大石头再往前走，就发现一个石潭，菖蒲覆盖着它，碧绿的苔藓环绕着石泓。

渠水又转弯往西流，在岩石边流入石隙里，最后像瀑布一样地流入北边的小潭中。小潭方圆还不足一百尺，潭水清澈且较深，有许多快速游动的鱼。

渠水又往北迂回绕行一些，斜着看好像没有尽头，就这样最终流入渴潭。

潭的一边全是奇异的石头、怪异的树木、奇异的花草、美丽的竹子，人可以坐成一排在那里休息。风吹动着树梢，悦耳的声音在山崖和山谷间回荡。看它已经很宁静，它们被风吹动所发出的声音才在远处传播。

我跟随永州太守发现它的，拨开荫郁的密林和腐烂的朽木，开掘和疏通淤土和乱石，把朽木乱草堆积起来烧掉，石渠里的渠水便很满。可惜从来都没有写它的人，所以我把它全都写下来，留给匠人，刻在潭南面的石头上，帮助以后喜好游历的人能较容易地看到它。

元和七年正月初八，除去杂芜，疏通渠道到大石。十月十九日，越过石头发现了石泓小潭，石渠的美因此就全都展示给游人了。

【题解】

本文为《永州八记》的第七篇。文章着重写石态水容，写涧中石和树的特色，描绘了石涧溪石的千姿百态，清流激湍，翠羽成荫，景色美丽宜人，表达了作者热爱自然、钟情山水的情怀，同时又书写了胸中愤郁，对自己的遭遇表示叹息和苦闷。文章虽也是写清泉美石，但同《小石潭记》《石渠记》诸篇比较，其独特之处在于：作者善用新颖贴切的比喻来描摹景物，使其可感。

石　涧　记

【原文】

石渠[①]之事既穷，上由桥西北，下土山之阴，民又桥焉。其水之大，倍石渠三之一。亘石为底，达于两涯。若床若堂，若陈筵席，若限阃奥[②]。水平布其上，流若织文，响若操琴。揭跣[③]而往，折竹，扫陈叶，排腐木，可罗胡床[④]十八九居之。交络之流，触激之音，皆在床下。翠羽之木，龙鳞之石，均荫其上。古之人其有乐乎此耶！后之来者，有能追予之践履耶！得意之日，与石渠同。由渴[⑤]而来者，先石渠，后石涧。由百家濑上而来者，先石涧，后石渠。涧之可穷者，皆出石城村东南。其间可乐者数焉。其上深山幽林逾峭险，道狭不可穷也。

【注释】

①石渠：见前一篇。

②阃(kǔn):门槛。奥:室之深处。

③跣:赤足。

④胡床:结绳为床曰胡床。

⑤渴:谓袁家渴。见前《袁家渴记》。

【译文】

发现石渠的事情已经结束,从石渠的桥上向西北走,一直到土山的北坡,百姓又架了一座桥。石涧比石渠的水量大三倍。接连不断的石头作为水的底部,宽达到水的两岸。石头有的像床,有的像门堂的基石,像筵席上摆满菜肴,有的像用门槛隔开的内外屋,水流像纺织物的花纹,泉水咚响声像是弹琴声,拎着衣服赤脚而往,折竹箭,扫陈叶,排腐木,清出一块可排十八九张交椅的空地。交织的流水,激撞的水声,皆在椅下;像翠鸟羽毛般的树木,像鱼龙麟甲般的石块,都遮蔽在交椅之上。古时候的人有谁曾在这里找到这种快乐的吗?以后的人,有谁能追随我的足迹来此吗?到石涧的日子,与石渠相同。

从袁家渴来的人,先到石渠后到石涧;从百家濑上山到这里的人,先到石涧,后到石渠。

石涧的源头,在石城村的东南,路中间可以游览的地方还有好几个。那上面的深山老林更加险峻,道路狭窄不能走到尽头。

【题解】

此文是《永州八记》最后一篇，作于元和七年(812)。作者先详细描绘了小石城山的形状、布局，突出其酷似石城。赞叹山石树木的疏密仰伏，好像高明者有意设计、布置的，然后自然转入关于“造物主之有无”这一重大哲学命题的议论，宣泄了自己屈遭贬谪，横受压抑的不平。文章共计221个字，可谓短小精悍，字字珠玑，描写景物和蕴含情感却恰到好处，金圣叹评曰：“笔笔眼前小景，笔笔天外奇情。”

小石城山记

【原文】

自西山道口，径北，逾黄茅岭而下，有二道：其一西出，寻之无所得。其一少北而东，不过四十丈，土断而川分，有积石横当其垠[①]。其上，为睥睨梁欐[②]之形。其旁，出堡坞[③]，有若门焉。窥之正黑。投以小石，洞然有水声。其响之激越，良久乃已。环之可上。望甚远。无土壤而生嘉树美箭[④]，益奇而坚。其疏数偃仰，类智者所施设也。

噫！吾疑造物者之有无久矣，及是愈以为诚有。又怪其不为之于中州，而列是夷狄，更千百年不得一售其伎。是固劳而无用，神者傥不宜如是，则其果无乎！

或曰：“以慰夫贤而辱于此者。”或曰：“其气之灵不为伟人，而独为是物。故楚之南少人而多石。”是二者，余未信之。

【注释】

①垠（yín）：界限。

②睥睨：城上短墙。梱：梁之别称。

③堡坞：筑土以为障。

④美箭：细竹。

【译文】

从西山路口一直向北走，越过黄茅岭往下走，有两条路：一条向西走，沿着它走过去什么也得不到；另一条稍微偏北又折向东去，只走了四十丈，路就被一条河流截断了，有积石横挡在这条路的尽头。石山顶部天然生成矮墙和栋梁的形状，旁边又凸出一块好像堡垒，一个像门的洞。从洞往里探望一片漆黑，丢一块小石子进去，咚的一下有水响声，那声音很洪亮，好久才消失。石山可以盘绕着登到山顶，站在上面望得很远。山上没有泥土却长着繁密的树木和竹子，而且更显得形状奇特质地坚硬。竹木分布疏密有致、高低参差，好像是有智慧的人特意布置的。

唉！我怀疑造物者的有无已很久了，到了这儿更以为造物者确实是有的。但又奇怪他不把这小石城山安放到人烟辐辏的中原地区去，却把它摆在这荒僻遥远的蛮夷之地，即使经过千百年也没有一次可以显示自己奇异景色的机会，这简直是白耗力气而毫无用处，神灵的造物者似乎不会这样做的。那么造物者果真没有的吧？

有人说："造物者之所以这样安排是用这佳胜景色来安慰那些被贬逐在此地的贤人的。"也有人说："这地方山川钟灵之气不孕育伟人，而唯独凝聚成这奇山胜景，所以楚地的南部少出人才而多产奇峰怪石。"这两种说法，我都不信。

【题解】

本文是一篇妙趣横生的谈论饮酒的短文，大体上谈了饮酒之由、谈饮酒之乐与饮酒之感。从文中可知，作者主张文明饮酒，这样可以益身益智。

序　饮

【原文】

买小丘，一日锄理，二日洗涤，遂置酒溪石上。

向之为记，所谓牛马之饮者，离坐其背，实觞[①]而流之，接取以饮，乃置监史[②]而令曰："当饮者举筹之十寸者三，逆而投之，能不洄于洑[③]，不止于坻[④]，不沉于底者，过，不饮。而洄，而止，而沉者，饮如筹之数。"

既或投之则旋眩滑汩；若舞，若跃，速者，迟者；去者，住者。众皆据石注视，欢抃[⑤]以助其势。突然而逝，乃得无事。于是或一饮，或再饮。

客有娄生图南者，其投之也，一洄，一止，一沉，独三饮。众乃大笑。驩甚。

余病痞，不能食酒，至是醉焉。遂损益其令。以穷日夜而不知归。

吾闻昔之饮酒者，有揖让酬酢，百拜以为礼者；有叫号屡舞，如沸如羹以为极者；有裸裎袒裼[⑥]，以为达者；有资丝竹金石之乐，以为和者；有以促数纠逖[⑦]而为密者。

今则举异是焉。故舍百拜而礼，无叫号而极，不袒裼

而达，非金石而和，去糾遾而密。简而同，肆而恭，衎衎[⑧]而从容。于以合山水之乐，成君子之心，宜也。作《序饮》以贻后之人。

【注释】

①实觞：酒满杯。

②监史：监饮之人。

③洑：洄流。

④坻（chí）：水中高地。

⑤抃（biàn）：两手相击，犹鼓掌。

⑥裸裎（chéng）：露身。袒裼：露臂。

⑦促：迫促也。数（shuò）：屡次。糾：同“纠”，集合。遾：远。促数：促人数饮。糾遾：纠合远座。

⑧衎衎（kàn）：安定和乐的样子。

【译文】

我买了一座小山丘，经过一二天的修整清理以后，就在小溪的石板上摆上酒器和酒，准备畅饮一番。

我原来在《钴鉧潭西小丘记》中所说的像牛马在溪中饮水的石块，就散落在各种石头里。我把酒杯都满满地斟上酒放入水中漂流，大家接过酒杯就喝。我们设置了一个行酒令时负责监督的人，他发布酒令说：当轮到某个人喝酒时，请举起三根十寸长的筹签，迎着溪流投进去，投进去的筹签能不漩进漩涡里，不停在石块边，不沉到水底的，则通过不用喝酒。如果投进去的筹签漩到漩涡里，停在石块边，沉到水底的，就要按照筹签的数目喝酒。

有人把筹签投到水里以后，筹签在湍急的溪流中滑溜打转，像是在舞蹈，又像是在跳跃，一会快一会儿慢，一会儿往前去一会儿往后来，大家都靠着石块瞪着眼睛注视着，高兴地拍手为它助威。等到筹签突然顺流漂走，大家的心才回到酒桌上。于是有的饮一次，有的饮两次。

其中有一位客人，名叫娄图南，他投的筹签，有一根漩到了漩涡里，有一根停在了石块边，还有一根沉到了水底，于是他独自连饮三杯，大家都非常快活地大笑不已。

我有病，胸中郁闷积块，不能多喝酒，所以喝得很醉了。于是减少我喝酒的酒令，我们喝了一整天都不想回去。

我听说从前喝酒，有宾主相互揖让，宾主相互敬酒，宾主相互多拜的礼节；有大声地呼喊，不停地舞蹈，场面极为纷乱的；有赤身露体以表达其行为极其旷达的；有借助丝竹金石等乐器来相和助兴的；有通过身体的靠近纠缠来表示亲密的。

今天我们饮酒却完全与这些不同。所以舍去相互百拜的礼节，没有大声呼喊的纷乱，不要赤身露体的旷达，放弃各种乐器的相和，摒弃身体纠缠的亲密。我们的酒宴简单而和乐，性情而恭谨，快快乐乐而从从容容，这样既符合孔子所谓的“仁者乐山，智者乐水”的说法，又能成全君子的心绪，正当合适。我作这篇关于饮酒的序文以留传给后来之人。

【题解】

本文是一篇杂文，写于作者被贬永州期间。文章以物喻人，从棋子分成上下贵贱说起，对统治者错误的用人之道进行了辛辣的讽刺和批判，提出了“择其善否”的任人唯贤的政治主张，对贵者与贱者社会地位“相去千万不啻”的黑暗现实做了深刻的揭露。作者在文末结合自己被贬的不幸遭遇，表达了对当权的保守派迫害革新势力的强烈不满。

序　棋

【原文】

房生直温，与予二弟游，皆好学。予病其确[①]也，思所以休息之者。

得木局，隆其中而规焉，其下方以直，置棋二十有四，贵者半，贱者半，贵曰上，贱曰下，咸自第一至十二，下者二乃敌一，用朱墨以别焉。房于是取二毫，如其第书之。既而抵戏者二人，则视其贱者而贱之，贵者而贵之。其使之击触也，必先贱者；不得已，而使贵者。则皆栗焉，惛[②]焉，亦鲜克以中其获也。得朱焉，则若有余；得墨焉，则若不足。

余谛睨之。以思其始，则皆类也，房子一书之，而轻重若是；适近其手而先焉，非能择其善而朱之，否而墨之也。然而上焉而上，下焉而下，贵焉而贵，贱焉而贱，其易彼而敬此，遂以远焉。

然则若世之所以贵贱人者，有异房之贵贱兹棋者欤？无亦近而先之耳。有果能择其善否者欤？其敬而易者，亦从而动心矣。有敢议其善否者欤？其得于贵者，有不气扬而志荡者欤？其得于贱者，有不貌慢而心肆者欤？其所谓贵者，有敢轻而使之者欤？所谓贱者，有敢避其使之击触者欤？彼朱而墨者，相去千万不啻，有敢以二敌其一者欤？

余，墨者徒也，观其始与末，有似棋者，故叙。

【注释】

①确：坚。此处谓其求学过于坚忍。

②惛(hūn)：心不明。

【译文】

房生性情耿介温和，跟我的两个弟弟关系很好，他们都勤奋好学。我担心他们过于刻苦，便寻思找一个让他们休息的方法。

找到了一个木棋盘，它中间隆起而呈圆形，下面方正平直。共摆子二十四个，一半贵子，一半贱子。贵的叫上等子，贱的叫下等子，都从第一摆到十二。两个下等子才顶得上一个上等子，用红色和黑色来分辨上下。于是房生拿来两支毛笔，按照棋子摆放的顺序分别涂上颜色，接着两人开始下棋，于是看着贱子就不重视它，看着贵子就重视它。他们使棋子互相撞击时，一定先使用贱子，万不得已才使用贵子。然而这两种棋子都是急速地盲目地往前冲，很少有击中对方的。但在他们赢得对方的棋子时，得了红的就感到心满意足，得了黑的就觉得很不满足。

我仔细地观看他们下棋，想到他们开始时，都是同样的棋子，只是房生用笔一涂颜色便如此分明地区分出贵贱。恰好接近他手边的棋子他就先涂，并不是选择好的棋子就涂上红的，差的棋子就涂黑的。然而一经涂上颜色把它定为上等就成了上等，定为下等就成了下等，定为贵子就成了好的，定为贱子就成了低贱的，人们轻视那个而重视这个，于是差距就很大了。

这样看来，像现今世上把人定贵贱的那种情况，跟房生把棋子分为贵贱又有什么区别呢？不也就是靠近的就先定了。有谁确实能挑选好的坏的吗？那种对某人尊重、对某人轻视的想法，也跟着上面对他的态度产生从而就在人们的心里，有谁敢议论他们的好坏呢？那些获得高贵地位的人，哪有不趾高气扬而意志薄弱的呢？那些地位卑贱的人，哪有不神态萎靡而心情烦乱的呢？那些所谓高贵的人，有谁敢轻视而对他们进行差使呢？那些所谓卑贱的人，有谁敢逃避受人驱使去到处奔劳呢？那些地位高贵的人和地位卑贱的人，他们之间相距非常遥远，有谁敢用两个卑贱者去抵挡一个高贵者呢？

我是属于地位低贱一类的人，看到人们遭遇的始末，觉得有同棋子相似的地方，所以写了这篇文章。

【题解】

元和十年(815)六月,柳宗元被迁为柳州刺史,把他发放到离政治中心更远的柳州,对他而言,这是人生的又一大打击。“十年憔悴到秦京,谁料翻为岭外行”,他现出心灰意冷的失望情绪。《柳州东亭记》就是这个时期的作品,文章以平淡的语言描绘自然之美,抒发了自怜幽独的失意情怀。

柳州东亭记

【原文】

出州南谯门[1],左行二十六步,有弃地,在道南。南值江,西际垂杨传置[2],东曰东馆。其内草木猥奥。有崖谷,倾亚缺圮。豕得以为囿,蛇得以为薮,人莫能居。

至是,始命披刜蠲疏[3],树以竹箭松柽桂桧柏杉。易为堂亭,峭为杠梁。下上徊翔,前出两翼。凭空拒江,江化为湖。众山横环,嶛阔瀴[4]湾。当邑居之剧,而忘乎人间。斯亦奇矣。

乃取馆之北宇,右辟之以为夕室;取传置之东宇,左辟之以为朝室;又北辟之以为阴室;作屋于北墉下以为阳室;作斯亭于中以为中室。朝室以夕居之,夕室以朝居之,中室日中而居之,阴室以违温风焉,阳室以违凄风焉。若无寒暑也,则朝夕复其号。

既成,作石于中室,书以告后之人,庶勿坏。元和十二年九月某日柳宗元记。

【注释】

①谯：城上楼。谯门：城门。

②垂杨：地名。传置：驿站。

③刜(fú)：斫。蠲(juān)：除去之也。

④瀯(yīng)：水绝远貌。

【译文】

出了柳州府的南门，往左走二十六步，有一块废弃的地在道路南边。朝南是柳江，西接垂杨包围的驿站，东边是叫作东馆的政府招待所。荒地里面野草丛生，临江石崖倾颓倒塌。猪在这儿圈养，蛇在这儿做窝，人哪能住啊。

到了这里，我开始命人清除杂物平整土地，种上各种名贵竹子和树木，扩建了馆驿建筑。用峭石作为连接建筑物之间的小石桥，中室高亭的飞檐像两个翅膀迎空翱翔，似乎挡住了柳江，江水平静得像一个湖。山高连绵，水盈茫茫。在此住久了，一定会忘记在人间。这也是罕见的呢。

在东馆的北边屋檐下，靠右辟建了一间房作为夕室；在驿站的东边屋檐下，靠左辟建了一间房作为朝室；在驿站北边屋檐下辟建一间房作为阴室，又在整个建筑群北墙窗口下建了一间房作为阳室。建造这个亭在四个室中间作为中室。

(客人)晚上住朝室，早上住夕室，中午住中室，阴室避暑，阳室驱寒。如同没有寒暑区别了，清晨和黄昏各恢复其异趣。工程完工后，立碑石于中室，用文字告示后人，但愿不要毁坏。元和十二年九月某日柳宗元记。

【题解】

这是一篇概述性的山水散文。柳宗元到柳州做刺史后，与在永州相比，游山观水的时间有所减少，但他仍为柳州奇特的自然风光所吸引，游览了近郊周围的重要景点。作者用简洁精练的语言写下了这篇风格特异、篇幅最长的山水游记。文章抓住了柳州诸山的奇姿异态，采用了工笔一般的白描手法，有详有略、真实准确地记叙了柳州雄姿各异、奇景迭出的群山风貌。明代散文家茅坤说，此文“全是记事，不着一句议论感慨，却淡宕风雅。”这说明作者在综合描述山水形概方面，继承了郦道元《水经注》的写作艺术而又有了新的发展。后人称这篇文章为柳州山水的最佳导游词。

柳州山水近治可游者记

【原文】

古之州治，在浔水[①]南山石间。今徙在水北直平四十里。南北东西皆水汇。

北有双山，夹道崭然[②]，曰背石山。有支川，东流入于浔水。浔水因是北而东，尽大壁下。其壁曰龙壁。其下多秀石，可砚[③]。

南绝水，有山，无麓，广百寻，高五丈，下上若一，曰甑山。山之南，皆大山，多奇。又南且西，曰驾鹤山，壮耸环立，古州治负焉。有泉在坎下，常盈而不流。南有山，正方而崇，类屏者，曰屏山。

其西，曰四姥山。皆独立不倚。北〔流〕枕[④]浔水濑

下。又西，曰仙弈之山。山之西可上，其上有穴，穴有屏，有室，有宇。其宇下有流石成形，如肺肝，如茄房，或积于下，如人，如禽，如器物，甚众。东西九十尺，南北少半。东登，入小穴，常有四尺，则廓然甚大。无窍，正黑。烛之，高仅见其宇。皆流石怪状。由屏南室中入小穴，倍常而上，始黑，已而大明，为上室。由上室而上，有穴，北出之，乃临大野，飞鸟，皆视其背。其始登者，得石枰于上，黑肌而赤脉，十有八道，可弈，故以云。其山多柽，多槠；多筼筜[⑤]之竹，多橐吾[⑥]。其鸟多秭归[⑦]。石鱼之山，全石，无大草木，山小而高，其形如立鱼，〔在〕[⑧]多秭归。西有穴，类仙弈。入其穴，东，出其西北。灵泉在东趾下。有麓环之。泉大类毂[⑨]雷鸣，西奔二十尺，有洄，在石涧，因伏无所见。多绿青之鱼，及石鲫，多。雷山，两崖皆东〔西〕面[⑩]，雷水出焉，蓄崖中，曰雷塘，能出云气，作雷雨，变见有光。祷，用俎鱼，豆彘，修，形，糈，稌，酒[⑪]，阴虔[⑫]，则应。在立鱼南[⑬]，其间多美山，无名。而深峨山在野中，无麓。峨水出焉。东流入于浔水[⑭]。

【注释】

①浔水：自今湖南靖县流入广西。

②崭然：高峻貌。

③可砚：谓其石可为砚。

④枕："流"字，李穆堂谓当是"枕"字之误。或又谓系"沈"字，亦非也。

⑤柽(chēng)：河柳。槠(zhū)：槠树。筼筜(yún dāng)：竹之大者，薄肌而长节。

⑥槖吾：草名。如款冬，秋开黄花。

⑦秭归：即子规，又名杜鹃。

⑧蒋之翘注："在"字，疑衍文。按：此句"多秭归"，谓石鱼之山多秭归也，与上文非重。

⑨毂：车轮。毂雷：谓车声也。

⑩姚姬传谓："西"字，应是"面"字之误。

⑪豆：器名。彘：豕也。修：脯也。形：方望溪云当作"铏"。铏：盛羹器也。见《周官》。糈(xū)：祭神用米也。稌(tú)：稻也。

⑫阴虔：犹言默敬也。蒋注：以"酒阴"二字连读，疑非是。按：此处言祀神，亦学《山海经》。

⑬立鱼：即上文所言石鱼之山，其形如立鱼者。在此处成为名词。

⑭按，全文分为四段：第一段，总叙。第二段，"北有双山"以下，记北面之山水。第三段，"南绝水"以下，记南面之山水；盖已由北经东而泻至南面。第四段，"其西曰四姥山"以下一大段，皆记西面之山水。如此分段，则脉络分明，不至相混。

【译文】

古时候的柳州治所，设在柳江南岸的石山之间。如今已经迁移到江水之北。这里纵横四十里的地方，东西南北四面几乎都为江水所环绕。

州城的北面，有两座山相背而立，中间是一条小道，两旁的山陡峭高峻，名叫背石山。北面有一条小河，向东流入柳江水。柳江水到这里就由向北流折为向东流去。经过整整一堵巨大的石壁之下。这堵石壁名叫龙壁，它的下面有很多美石，可以用来做砚台。

在州城的附近乘船向南渡过江水，可以看见江边有一座山，山脚没有缓坡林木。这座山约有八百尺宽，五丈高，山脚和山顶都是一般大小，很是陡峭，名叫甑山。山的南面，都是大山，且都很奇特。从甑山南面再往西走，就是驾鹤山。这座山雄伟高耸，四周都是峭壁环绕。古时候的州治所就是背靠这山而建的。驾鹤山南侧有泉水流出，形成一个池塘，池水经常满着而不流向别的地方。驾鹤山的南面，有一座山，方正而高，好像一扇屏风，所以名叫屏山。

它的西面是四姥(mǔ)山。这些山都是各自独插蓝天，互不依靠的。另有一座山的北面直接沉入柳江水的急流之中。继续往西走，是仙弈山。山的西面有路可以攀登上去。山上有个大洞穴，洞穴中有"屏风"，有"房间"，有"屋檐"，"檐"下面有许多溶岩形成各种形状的钟乳石。有的像肝像肺，有的像莲蓬。或者是由溶岩滴到下面累积起来，有的像人，有的像禽兽，有的像各种器具。千姿百态，非常之多。这个洞穴东西宽约九十尺，南北深度将近一半。从洞穴的东侧，又可进入一个小洞，走了二十尺之后，小洞又显得空阔宽大。这洞穴不通光线，开始时觉得漆黑一团，点上蜡烛照亮之后，发现洞穴的高度仅有那个大洞的"屋檐"那般高，里面是各种奇形怪状的钟乳石。由大洞穴的"屏风"南边的"房间"又可进入一个小洞穴向上爬行，有三十二尺高。开始很黑，后来便很明亮了。这就是上部的"房间"。由上部的这个"房间"再往上爬，又有一个小洞穴，从这洞穴的北面出去，便面对着一片宽阔的原野。下面有很多鸟儿在飞翔，但都只能看到鸟儿的背部。最初登上这座山的人，曾在上面见到一方石头棋盘，黑色的石块上有十八道红色的线条，可以用来下棋，所以这座山就取名为仙弈山。山上有很多桂树、槠树，有很多节长竿高的名叫篔筜的竹子，还有很多又叫山紫菀的橐吾草。山上所见的鸟类，杜鹃鸟为最多。石鱼山，是全由石头组成，山上没有多少草，也没有大的树木，山体虽然很小，却显得很高，形状就像一尾站立起来的大鱼。它坐落在杜鹃鸟很多的仙弈山西面。山腰有洞穴。就像仙弈山那样。从东边走进洞内，可以从西北方走出。东面的山脚下有一个灵泉，泉的四周有缓坡和林木环绕着。泉水流动时，发出像车轮滚动时产生的打雷一般的声音。泉水由东向西奔流二十尺以后，就有回流形成旋涡，再流到石涧，就潜伏到地下而看不见踪影了。灵泉水里有很多绿青色的鱼，还有很多石鲫鱼和白鲦鱼。雷山的两堵悬崖都面向东方，雷水在这里从地下流出，积蓄在两崖的中间，名叫雷塘。雷塘里的水能变成云气在空中升腾，化作雷雨，而且有变幻莫测的光亮。向雷神祷告时，摆上用器皿盛着的鱼肉、猪肉、干肉、锎羹、精米、糯米和水酒等祭品，内心又恭敬虔诚，就可以有好的应验。在立鱼山的南面，还有很多山峰。这些山都没有名字，但都很秀美幽深。峨山平地拔起，矗立在西郊的原野之中，山脚也没有缓坡和林木。一条名叫峨水的小溪从这里流出，向东进入柳江水。

【题解】

本文写于元和八年(813),是作者被贬永州期间给韦中立的一封回信。韦中立,潭州刺史韦彪之孙,元和十四年(819)进士。未中进士时,曾写信要求拜柳宗元为师,并不辞道远,从长安到永州去拜访求教。后来柳宗元不断地对他进行帮助。这封回信谈了两个问题,一个是论师道,一个是论写作。它是柳宗元文学理论的代表作,在我国文学理论发展史上占有重要的地位。

答韦中立论师道书

【原文】

二十一日,宗元白。辱书云欲相师。仆道不笃,业甚浅近,环顾其中,未见可师者。虽尝好言论,为文章,甚不自是也。不意吾子自京师来蛮夷间[①],乃幸见取。仆自卜固无取,假令有取,亦不敢为人师。为众人师且不敢,况敢为吾子师乎。

孟子称:"人之患,在好为人师。"由魏、晋氏以下,人益不事师。今之世,不闻有师;有,辄哗笑之以为狂人。独韩愈奋不顾流俗,犯笑侮,收召后学,作《师说》,因抗颜而为师。世果群怪聚骂,指目牵引,而增与为言词。愈以是得狂名,居长安,炊不暇熟,又挈挈[②]而东。如是者数矣。

屈子[③]赋曰:"邑犬群吠,吠所怪也。"仆往闻庸蜀[④]之南,恒雨少日,日出则犬吠。余以为过言。前六七年,仆

来南，二年冬，幸大雪，逾岭，被南越中数州，数州之犬，皆苍黄吠噬，狂走者累日，至无雪乃已。然后始信前所闻者。今韩愈既自以为蜀之日，而吾子又欲使吾为越之雪，不以病乎！非独见病，亦以病吾子。然雪与日岂有过哉！顾吠者犬耳。度今天下不吠者几人，而谁敢炫怪于群目以召闹取怒乎。

仆自谪过以来，益少志虑，居南中九年，增脚气病，渐不喜闹，岂可使呶呶者早暮咈吾耳[⑤]，骚吾心，则固僵仆烦愦[⑥]，愈不可过矣。平居望外[⑦]遭齿舌不少，独欠为人师耳。

抑又闻之：古者重冠礼[⑧]，将以责成人之道，是圣人所尤用心者也。数百年来，人不复行。近有孙昌胤者，独发愤行之；既成礼，明日，造朝，至外廷，荐笏[⑨]言于卿士曰："某子冠毕。"应之者咸怃然[⑩]。京兆尹郑叔则怫然[⑪]曳笏却立曰："何预我耶[⑫]！"廷中皆大笑。天下不以非郑尹而快孙子，何哉？独为所不为也。今之命师者大类此。

吾子行厚而辞深，凡所作，皆恢恢然有古人形貌；虽仆敢为师，亦何所增加也。

假而以仆年先吾子，闻道著书之日不后，诚欲往来言所闻，则仆固愿悉陈中所得者。吾子苟自择之，取某事，去某事，则可矣。若定是非以教吾子，仆材不足，而又畏前所陈者，其为不敢也决矣。

吾子前所欲见吾文，既悉以陈之。非以耀明于子，聊欲以观子气色，诚好恶何如也。今书来言者皆大过；吾子诚非佞誉诬谀之徒，直见爱甚，故然耳。

始吾幼且少，为文章，以辞为工。及长，乃知文者以明道，是固不苟为炳炳烺烺[13]、务采色、夸声音而以为能也。凡吾所陈，皆自谓近道，而不知道之果近乎，远乎？吾子好道而可吾文，或者其于道不远矣。故吾每为文章，未尝敢以轻心掉之，惧其剽而不留也；未尝敢以怠心易之，惧其弛而不严也；未尝敢以昏气出之，惧其昧没而杂也；未尝敢以矜气作之，惧其偃蹇而骄也。抑之欲其奥，扬之欲其明，疏之欲其通，廉[14]之欲其节，激而发之欲其清，固而存之欲其重。此吾所以羽翼[15]夫道也。本之《书》以求其质，本之《诗》以求其恒，本之《礼》以求其宜，本之《春秋》以求其断，本之《易》以求其动。此吾所以取道之原也。参之谷梁氏以厉其气，参之孟、荀以畅其支，参之庄、老以肆其端，参之《国语》以博其趣，参之《离骚》以致其幽，参之太史以著其洁。此吾所以旁推交通而以为之文也。

凡若此者，果是耶？非耶？有取乎？抑其无取乎？吾子幸观焉，择焉，有馀以告焉。苟亟来以广是道，子不有得焉，则我得矣又何以师云尔哉。取其实而去其名，无招越蜀吠怪，而为外廷所笑，则幸矣。宗元白。

【注释】

①蛮夷间：指永州、柳州诸地。

②挈挈：急切的样子。

③屈子：屈原。

④庸：春秋时属楚，后为楚灭。蜀：今四川。

⑤呶呶(náo):喧嚣声。咈(fú):逆。咈吾耳:犹言逆吾耳。
⑥愦(kuì):心乱。
⑦望外:犹言意外。
⑧冠礼:古礼男子二十加冠,曰冠。
⑨笏:古者人臣朝见时所执。荐笏:插笏于腰带。
⑩怃(wú)然:惊愕貌。
⑪佛(fú):然:愤怒貌。
⑫何预我耶:意谓关我什么事!
⑬炳炳烺烺:光明。
⑭廉:精简而不贪。
⑮羽翼:辅佐。

【译文】

二十一日,宗元写道:承蒙您来信说,想要认我做老师。我的道德修养不深,学识非常浅薄,从各方面审察自己,看不出有值得学习的东西。虽然经常喜欢发些议论,写点文章,但我自己很不以为都是正确的。没有想到您从京城来到偏远的永州,竟幸运地被您取法。我自估量本来就没有什么可取的东西。即使有可取的,也不敢做别人的老师。做一般人的老师尚且不敢,更何况敢做您的老师呢?

孟子说:"人们的毛病,在于喜欢充当别人的老师。"从魏、晋以来,人们更加不尊奉老师。在当今的时代,没听说还有老师;如果有,人们就会哗然讥笑他,把他看作狂人。只有韩愈奋然不顾时俗,冒着人们的嘲笑侮辱,招收后辈学生,写作《师说》,就态度端正地当起老师来。世人果然以为怪事,聚在一起骂他,添油加醋地编造谣言来攻击他。韩愈因此得到了狂人的名声,他住在长安,煮饭都来不及煮熟，又被外放而匆匆忙忙地向东任洛阳令了。像这样的情况有好几次了。

屈原的赋里说："城镇中的狗成群地乱叫，叫的是它们感到奇怪的东西。"我过去听说庸、蜀的南边，经常下雨，很少出太阳，太阳一出来就会引起狗叫。我以为这是过分夸大的话。六七年前，我被贬来到南方。元和二年的冬天，有幸遇到南方下大雪，大雪越过了五岭，覆盖了南越的几个州。这几个州的狗，都惊慌地叫着咬着，疯狂奔跑了好几天，直到没有雪了才静止下来，这以后我才相信过去所听说的话。如今韩愈已经把自己当作蜀地的太阳，而您又想使我成为越地的雪，我岂不要因此受到辱骂吗？不仅我会被辱骂，您也会受到连累。然而雪和太阳有罪过吗？只不过感到惊怪而狂叫的是狗罢了。试想当今天下见到奇异的事情不像狗那样乱叫的能有几个人，因而谁又敢在众人眼前显出自己与众不同，来招惹喧闹，叫人恼怒呢？

我自从被贬官以来，更加意志薄弱，很少思虑。居住南方九年，增添了脚气病（风瘫之类的），渐渐不喜欢喧闹，怎能让那些喧嚣不休的人从早到晚来刺激我的耳朵，扰乱我的心绪？那么必将使我卧病不起，心烦意乱，更不能生活下去了。平时意外地遭受到不少是非口舌，唯独还没有喜欢充当别人老师的罪名罢了。

我还听说，古代重视冠礼，是借以用成年人做人的道理来要求大家。这是圣人所以特别重视的原因。几百年以来，人们不再举行这种冠礼。近来有个叫孙昌胤的人，独自下决心举行冠礼。冠礼举行过后，第二天去上朝，来到外廷，把笏板插进衣带对大臣们说："我已经行过冠礼了。"听见这话的人都感到莫名其妙。京兆尹郑叔则却满脸怒气，垂手拖着笏板，退后一步站着，说："这与我有什么相干呀！"廷中的人都大笑起来。天下的人不因此去责难京兆尹郑叔则，反而嘲笑孙昌胤,这是为什么呢?只是因为孙昌胤做了别人所不做的事。现在被称作老师的人,非常像这种情况。

您的品行敦厚,文辞高深,凡是您做的文章,都气魄宏大,有古人的风貌。即使我敢做您的老师,对您又有什么帮助呢?

假如因为我比您年长,学道、写文章的时间比您早,您确实愿同我往来,交谈彼此所学的东西。那么,我当然愿意向您毫无保留地陈述自己全部的心得,您自己随便加以选择,吸取哪些,扬弃哪些,就可以了。如果要我判定是非来教您,我的才能不够,而且又顾忌前面所说的那些情况,我不敢做您的老师是肯定的。

您以前想要看看我的文章,我已经全部陈列给您了,这并不是以此向您炫耀自己,只是姑且想要看看,从您的神情态度上反映出我的文章的确是好是坏。现在您的来信,说的话都对我过奖了。您的确不是那种巧言谄媚假意奉承的人,只不过是特别喜欢我的文章,所以才这样说罢了。

当初我年轻又不懂事,写文章时把文辞漂亮当作工巧。到了年纪大一些,才知道文章是用来阐明道的,因此不再轻率地讲究形式的美观、追求辞采的华美、炫耀声韵的铿锵、把这些当作自己的才能了。凡是我所呈给您看的文章,都自认为接近于道,但不晓得果真离道近呢,还是远呢?您喜爱道而又赞许我的文章,也许它离道不远了。所以,我每当写文章的时候,从来不敢漫不经心地随便写作,恐怕文章浮滑而不深刻;从来不敢偷懒取巧地写作,恐怕文章松散而不严谨;从来不用糊涂不清的态度去写作,恐怕文章晦涩而又杂乱;从来不敢用骄傲的心理去写作,恐怕文章盛气凌人而又狂妄。加以抑制是希望文章含蓄,进行发挥是希望文章明快;加以疏导是希望文气流畅,进行精简是希望文辞凝练;剔除污浊是希望语言清雅不俗,凝聚保存文气是希望风格庄重不浮。这就是我用文章来辅佐道的方法。学习写作以《尚书》为本原，以求文章质朴无华；以《诗经》为本原，以求文章具有永恒的情理；以《三礼》为本原，以求文章内容合理；以《春秋》为本原，以求文章是非明确、褒贬分明；以《易经》为本原，以求文章能够反映出事物的发展变化。这就是我吸取“道”的源泉的办法。参考《谷梁传》，以加强文章的气势；参考《孟子》《荀子》，以使文章条理通达；参考《庄子》《老子》，以使文章汪洋恣肆；参考《国语》，以使文章增强情趣；参考《离骚》，以使文章能够情思幽微；参考《史记》，以使文章显得语言简洁。这就是我用来广泛学习，使它们融会贯通，并运用来写文章的办法。

凡是上面所说的这些，到底是对，还是不对呢？有可取的地方呢，还是没有可取的地方呢？希望您看看，进行选择，有空就来信告诉我。如果我们经常往来交谈，以扩充发挥作文之道，即使您不因我的帮助有什么收获，我却因为您的帮助而有所收获，又何必以老师来称呼这种关系呢？采取老师的实质，去掉老师的名义，不要招致越地和蜀地的狗的惊怪狂叫，或者像孙昌胤举行冠礼那样遭到人们的嘲笑，那就万幸了。宗元再告。

【题解】

《贺进士王参元失火书》是柳宗元写给好朋友王参元的一封信，文中对朋友家遭逢火灾、财物殄灭的残酷现实表示同情和慰问，同时又以道家的无为思想对受害者进行开导劝慰，鲜明表达出作者自由旷达的人生观。

贺进士王参元失火书

【原文】

得杨八[①]书，知足下遇火灾，家无余储。仆始闻而骇，中而疑，终乃大喜。盖将吊而更以贺也。道远言略，犹未能究知其状，若果荡焉泯焉而悉无有，乃吾所以尤贺者也。

足下勤奉养，乐朝夕，惟恬安无事是望也。今乃有焚炀赫烈之虞，以震骇左右，而脂膏滫瀡[②]之具，或以不给，吾是以始而骇也。凡人之言皆曰，盈虚倚伏[③]，去来之不可常。或将大有为也，乃始厄困震悸，于是有水火之孽，有群小之愠。劳苦变动，而后能光明，古之人皆然。斯道辽阔诞漫，虽圣人不能以是必信，是故中而疑也。

以足下读古人书，为文章，善小学[④]，其为多能若是，而进不能出群士之上，以取显贵者，盖无他焉。京城人多言足下家有积货，士之好廉名者，皆畏忌，不敢道足下之善，独自得之心，蓄之衔忍，而不能出诸口。以公道之难明，而世之多嫌也。一出口，则嗤嗤者以为得重赂。仆自

贞元十五年，见足下之文章，蓄之者盖六七年未尝言。是仆私一身而负公道久矣，非特负足下也。及为御史尚书郎，自以幸为天子近臣，得奋其舌[⑤]，思以发明足下之郁塞。然时称道于行列，犹有顾视而窃笑者。仆良恨修己之不亮，素誉之不立，而为世嫌之所加，常与孟几道[⑥]言而痛之。乃今幸为天火之所涤荡，凡众之疑虑，举为灰埃。黔其庐，赭其垣，以示其无有。而足下之才能，乃可以显白而不污，其实出矣。是祝融、回禄[⑦]之相吾子也。则仆与几道十年之相知，不若兹火一夕之为足下誉也。宥而彰之，使夫蓄于心者，咸得开其喙[⑧]；发策决科者，授子而不栗。虽欲如向之蓄缩受侮，其可得乎？于兹吾有望于子，是以终乃大喜也。

古者列国有灾，同位者皆相吊。许不吊灾，君子恶之[⑨]。今吾之所陈若是，有以异乎古，故将吊而更以贺也。颜、曾之养，其为乐也大矣，又何阙焉？

足下前章要仆文章古书，极不忘，候得数十篇乃并往耳。吴二十一武陵来，言足下为《醉赋》及《对问》，大善，可寄一本。仆近亦好作文，与在京城时颇异，思与足下辈言之，桎梏甚固，未可得也。因人南来，致书访死生。不悉，宗元白。

【注释】

①杨八：名敬之，在杨族中排列第八。柳宗元的亲戚，王参元的好朋友。

②滫瀡（xiū suǐ）：这里指淀粉一类烹调用的东西，泛指食物。滫，淘

米水。瀡，古时把使菜肴柔滑的作料叫“滑”，齐国人称之为“瀡”。

③盈虚倚伏：出自《老子》“祸兮福之所倚，福兮祸之所伏。”意为祸是福依托之所，福又是祸隐藏之所，祸福可以互相转化。

④小学：旧时对文字学、音韵学、训诂学的总称。

⑤奋其舌：这里指对皇帝劝谏、上疏等。奋，鼓动。

⑥孟几道：孟简，字几道，擅长写诗，尚节好义，是柳宗元的好朋友。

⑦祝融、回禄：都是传说中的火神名。

⑧喙：鸟兽的嘴。这里借指人的嘴。

⑨许不吊灾，君子恶之：据《左传》记载，鲁昭公十八年(前520)，宋、卫、陈、郑四国发生火灾，许国没有去慰问，当时的有识之士据此推测许国将要灭亡。许，春秋时国名，在今河南许昌一带。

【译文】

得到杨八的信，知道您遭遇火灾，家里没有一点积蓄了。我刚听到很吃惊，接着就怀疑，最后竟然非常高兴，于是我准备慰问您，现在却改变了，要向您道喜。由于相隔很远，信里的话又很简单，我仍然不能彻底了解您家的情形，假如真是像大水冲过一样毁灭丢失，都没有了，我就更要因此向您道喜。

您一向小心地奉养双亲，使父母每天享受天伦之乐，只希望全家平安无事。现在竟然有一场大火肆虐的灾祸，使您震惊不安，并且调和饮食的工具，或许因此不能供应：我因此刚一听到这消息就大吃一惊。一般人都说，盛衰祸福相互依存，得和失不会一成不变，也许一个人将要大有作为，那么刚开始会受到种种困苦惊吓，会有火的灾害、有小人们的怨恨，身心经受各种劳苦颠沛的磨炼，然后能有光明坦荡的前途。古代的仁人志士都是这样。我认为这个道理太迂远，大而无当，即使古代的圣人也不认为事情确实那样发展：这是我后来疑惑的原因。

像您这样遍读古人的书，能写文章，对文字学、音韵学、训诂学三者很有研究，具备如此众多的才学，而在仕进上却不能高出一般的士人，达到显赫的地位，这实在是没有别的原因。京城中有不少人说您府上广积财富，那些爱好廉洁名声的士大夫都害怕、忌讳，不敢称赞您的优点，只是自己一个人知道，放在心里，长期含忍，不能把它说出口。因为公理难以伸张，世情又多猜忌。一旦有人说出称赞您的话，那帮以讽刺攻击为能事的小人就以为那人必定得到您的厚礼了。

我从贞元十五年，看见您写的文章，放在心里有六七年，从来没说过，这是我只顾自己而对不起公道很久了，不单对不起您呀！等到我做了御史尚书郎，自己认为有幸而做了皇上身边的臣子，可以大胆说话，想趁此彰明您受阻滞的情况。但是，我有时在同行面前称赞您时，仍然有相视而暗笑我的。我实在是痛恨自己的品德修养还不足以使人亮察，素来清白的名声还未能确立，因而遭到世人的猜忌。我经常与友人孟几道谈起这件事，并对此痛心不已。于是现在正好您的家财被大火烧得精光，众人的疑虑也一起化为灰尘。烧黑了您的屋宇，烧红了您的断垣残壁，从而表示您一无所有；而您的才能，才可以清楚表明，再不被谣言所污染。您的真相显露了。这真是祝融、回禄在帮助您啊！这样看来，我和几道十年来对您的了解，还比不上这次火灾一个晚上给您造成的好名誉。（以后大家）都会原谅并表扬你，可以公开宣扬你的才能了，使得那些有话藏在心里的人，都能毫无顾忌地为您说话了；主持考试的，可以大胆录取您，不再怕别人说闲话。现在，我就是想要像过去那样避免嫌疑，被人嘲笑，可能吗？从此，我对您寄予了很大希望，因此，最后我非常高兴。

在古代，哪一个诸侯国有灾祸，其他诸侯国都来慰问。（有一次）许国不慰问宋、卫、陈、郑的灾祸，君子都憎恶之。现在，我说明的事理是这样的，和古代的有不同，（那就是）本来准备慰问您，却变得要向您道喜。颜渊和曾参供养父母，使父母感到愉快的方面远远超过一般人，物质上的一点欠缺又有什么值得不满意的呢！

您先前要我的文章古书，我始终没有忘记，只是想等到有几十篇后再一起带给您而已。吴二十一（名武陵，排行二十一）来我这里，说您写有"醉赋"及"对问"，非常好，可要寄给我一本。我近来也喜欢写文章，与在京都时很不一样，想与您这样的人说说话，可受到很严的限制，无法实现，趁着有人南来，给您一封信打探一下您的生活情况，（信）不能详尽（地表达我的意思）。宗元向您问好。